DINAMICA

Ellen Moyer

Vitaminas y minerales

Traducción de Guillermo Solana

PLAZA & JANES

Título original: *Vitamins and Minerals*
Diseño de la portada: Josep M.ª Mir

Primera edición: noviembre, 1995

Enric Granados, 86-88. 08008 Barcelona

Printed in Spain – Impreso en España

ISBN: 84-01-52020-7
Depósito legal: B. 38.679 - 1995

Fotocomposición: Lorman

Impreso en Cremagràfic
Bernat Metge, 197. Sabadell (Barcelona)

L 5 2 0 2 0 7

ÍNDICE

INTRODUCCIÓN 9

1. La nutrición y el papel de las vitaminas y minerales 13
2. Alimentos enriquecidos y fortalecidos 47
3. Complementos vitamínicos y minerales 55
4. Raciones dietéticas recomendadas, ingestiones diarias de referencia e ingestiones dietéticas diarias estimadas seguras y adecuadas 73
5. Análisis dietético 87
6. Búsqueda de un médico experto en nutrición . . 97
7. Análisis para determinar la situación en vitaminas y minerales 109
8. Vitaminas 121
9. Minerales 215

GLOSARIO 285

INTRODUCCIÓN

Es difícil creer que el tema de las vitaminas y los minerales despierte polémica. Pero el único punto en que los «expertos» coinciden cuando debaten la cuestión es que los seres humanos necesitan diariamente ciertas dosis de vitaminas y minerales. A partir de ahí comienzan las discusiones. ¿Qué volumen de un determinado elemento nutritivo requiere una persona? ¿Necesitan algunas más que otras? ¿Deberían proceder las vitaminas y los minerales exclusivamente de los alimentos? ¿Tendríamos que incrementar nuestra dieta tomando vitaminas y minerales en píldoras, bajo forma líquida o de algún otro modo? ¿Y qué decir de grandes dosis de vitaminas en ciertas condiciones? ¿Es posible que esas dosis masivas prevengan enfermedades o mengüen su impacto?

Las controversias en torno de las vitaminas alcanzan incluso al Gobierno Federal de Estados Unidos. Prosiguen las disputas sobre los medios a que recurre para fijar sus normas sobre los mínimos diarios requeridos. Se han desarrollado grandes debates sobre si habría que clasificar las vitaminas como alimento (su rango actual) o como productos farmacéuticos (que exijan el control y la receta del médico).

Todo esto confunde a la mayoría de los consumidores. Un día un especialista afirma que una gran dosis de determinado elemento nutritivo curó a un niño de una enfermedad mortal; al día siguiente alguien asegura que una gran dosis del mismo producto no sólo no sana sino que además resulta tóxica.

Vitaminas y minerales responde a todos los interrogantes acerca de unas y otros. Hemos tratado de proporcionarle la más amplia gama posible de información imparcial para ayudarle a entender mejor el papel y el uso de vitaminas y minerales en su dieta cotidiana y en su vida.

Los datos contenidos en este libro proceden directamente de los textos sanitarios y médicos más acreditados. Nuestro propósito es ayudarle a comprender mejor el papel de las vitaminas y los minerales en su vida diaria y contribuir a que atienda las necesidades de su nutrición.

Veterana autora de obras sobre la salud, Ellen Moyer ha realizado amplias investigaciones para ofrecerle la información más reciente y actualizada acerca de las materias que aborda en este libro. Su objetivo ha consistido en aportar claridad a lo que a menudo es un tema caótico. No hay duda de que lo ha conseguido.

CHARLES B. INLANDER
Presidente
People's Medical Society

Los términos impresos en negrita figuran en el glosario que comienza en la página 285. Sólo aparecerá bajo esa forma su primera mención.

1

LA NUTRICIÓN Y EL PAPEL DE LAS VITAMINAS Y MINERALES

Parece que hasta no hace mucho tiempo las únicas personas interesadas en la nutrición eran los profesores de economía doméstica y, quizá, las madres. Ahora, en cambio, el tema aparece en las portadas de los grandes semanarios y en la primera página del *New York Times* ¿Por qué se ha convertido la nutrición en un asunto tan candente? ¿Y qué tienen que ver con eso las VITAMINAS y los MINERALES?

Los críticos afirman que nuestra fascinación actual por la nutrición es simplemente una moda alentada por los medios de comunicación y concebida por la industria de complementos vitamínicos para influir en los que acaban de dejar atrás la juventud; pero eso no es cierto en modo alguno.

La nutrición constituye ahora un tema candente por

una buena razón. Desde hace aproximadamente unos diez años los investigadores han realizado nuevos e impresionantes estudios sobre nutrición. Estos trabajos nos sitúan a años luz de nuestra vieja idea acerca del papel que la nutrición desempeñaba en la salud.

¿Quiénes llevan a cabo esas investigaciones?

Entidades prestigiosas, como el Instituto Nacional del Cáncer, los centros sobre nutrición humana del Departamento de Agricultura de Estados Unidos y el American Institute for Cancer Research, así como una docena de universidades muy conocidas como Harvard, Tuft, las de Alabama, Texas y de California en Berkeley, San Diego y San Francisco. Esos estudios han atraído a científicos de todo el mundo.

¿Qué pretenden todas esas investigaciones?

Los científicos han explorado aspectos muy diferentes de la nutrición: las ventajas y los riesgos de distintas clases de grasas, como las saturadas, los aceites de pescado y las grasas hidrogenadas (los aceites vegetales que se encuentran, por ejemplo, en la margarina); el papel de los diversos tipos de fibras en la reducción del colesterol y en la disminución del riesgo de cáncer de colon y de mama, y la razón de que quienes comen grandes cantidades de frutas y verduras parecen menos proclives a muchas enfermedades.

Pero ¿qué tienen que ver con todo eso las vitaminas y minerales?

Cuando los investigadores aislaron componentes alimenticios que parecían protegernos, por ejemplo, contra las enfermedades cardíacas y el cáncer, descubrieron que, a diferencia de lo que antes se creía, vitaminas y minerales desempeñaban un papel importante en ese terreno. Vitaminas y minerales no son desde luego los únicos componentes de los alimentos con efectos benéficos sobre la salud, pero demuestran ser una parte importante.

¿A qué clase de beneficios se refiere?

Los científicos que pensaban que los beneficios principales de los **elementos nutritivos** consistían en prevenir **enfermedades carenciales** como el **raquitismo**, el **beriberi** y el **escorbuto**, saben ahora que las vitaminas y los minerales desempeñan en el cuerpo misiones más fundamentales y a más largo plazo de lo que antes se creía.

Específicamente, se ha probado que las vitaminas y los minerales influyen en la salud de casi todos los órganos y pueden frenar o incluso invertir el progreso de muchas enfermedades consideradas hasta ahora ineludiblemente unidas al envejecimiento, como el cáncer, las afecciones cardíacas, la **osteoporosis**, la deficiencia inmunológica, la degeneración nerviosa y otras afecciones crónicas.

¿Puede darme algunos ejemplos de las pruebas a que se ha referido?

Las presentaremos a lo largo de este libro, cuando nos refiramos a elementos nutritivos específicos, pero he aquí algunos ejemplos: una ingestión considerable de **vitaminas C** y **E** y **de caroteno beta** (el pigmento anaranjado que se encuentra en las zanahorias y otras hortalizas y frutas) reduce la probabilidad de fallecimiento por cáncer y afecciones cardíacas, grandes ingestiones de **potasio**, **magnesio** y **calcio** disminuyen la tensión sanguínea, dosis elevadas de **ácido fólico** reducen la probabilidad de que una mujer tenga un bebé con anomalías graves, así como el riesgo de desarrollar trastornos que susciten un cáncer en el cuello de la matriz.

¿Qué entiende por una gran ingestión?

Significa por lo general que supera la del promedio de la población. Si, por ejemplo, la mayoría de las personas de un grupo toman unos 70 miligramos diarios de vitamina C, se considerará una gran ingestión la que supere esa cantidad.

¿Y qué se entiende por una dosis baja?

La ingestión inferior al promedio respecto de un determinado elemento nutritivo con relación al conjunto de la población. En los estudios de población los científicos establecen grupos de ingestión baja, media, alta y muy alta de nutrientes. Luego comparan los grupos de ingestión alta y muy alta con el de ingestión baja para advertir las diferencias en el riesgo de enfermedades. A partir de estos estudios, se determinan las cantidades de elementos nutritivos que aparentemente brindan el beneficio de una protección.

¿Puede decirme algo más acerca de esas investigaciones?

Se han desarrollado en todo el mundo centenares de estudios de población para examinar y comparar los hábitos alimenticios y las pautas de enfermedades en gran número de personas. El propósito de tales trabajos era descubrir asociaciones entre ciertas dietas, la ingestión de elementos nutritivos y los riesgos de enfermedades. Por ejemplo, docenas de estudios han revelado que las personas que comen mucha fruta y verdura disminuyen el riesgo de contraer cáncer en comparación con los individuos que apenas toman esta clase de alimentos.

¿Cuántas porciones diarias de frutas y verduras se consideran «mucho» en estas investigaciones?

Se considera que cuatro o más porciones diarias de frutas y verduras son «mucho».

¿Y cuándo se estima que la ingestión de estos alimentos es baja?

Cuando se ingiere una o ninguna porción al día.

¿Qué se entiende por porción en este contexto?

Puede variar de un estudio a otro, pero, en general, se entiende por porción una fruta de tamaño medio, 170 gramos de zumo de frutas u hortalizas al ciento por ciento, media taza de hortalizas o frutas cocidas o crudas, una taza de verduras crudas con hojas o un cuarto de taza de frutos secos.

¿Cómo comprueban los investigadores tales descubrimientos?

Además de experimentar durante años con animales, los científicos han iniciado recientemente las que denominan «pruebas de intervención clínica en seres humanos». En algunos de estos estudios se introduce un elemento nutritivo en las dietas de personas con riesgo de padecer una determinada afección a fin de observar si dicho elemento contribuye a impedir su desarrollo. O bien se incorpora un nuevo nutriente en las dietas de personas generalmente sanas, de esta forma se determina si mejoran ciertos aspectos de su salud.

¿Existen hoy en día resultados notables de estas pruebas de intervención clínica con seres humanos?

Varios centros de investigación sobre el cáncer han descubierto que una vitamina A **sintética**, utilizada para tratar casos serios de acné, la **isotretinoina** (nombre comercial Accutane), contribuye a prevenir la recurrencia de leucoplasia, una condición precancerosa de la boca que afecta a menudo a los fumadores.

Y, como mencionamos antes, actualmente se sabe que un complemento de ácido fólico, una vitamina B, reduce el riesgo de que una mujer tenga un bebé con **defectos del tubo neural**, condición grave que se caracteriza por anormalidades de la médula espinal y del cerebro.

¿Algo más?

Se ha descubierto que los complementos de **vitamina B_6** pueden mejorar el sistema inmunológico de personas mayores que, para mantener unas reservas adecuadas de este elemento nutritivo, necesitan un volumen más elevado del habitualmente recomendado.

Cabe suponer que otros muchos estudios, ahora en marcha, den lugar a nuevos hallazgos en los próximos años. En el Centro de Ciencias de la Salud de la Universidad de Texas, en Tyler, se está investigando si dosis elevadas de un complemento de caroteno beta pueden ayudar a prevenir el cáncer de pulmón en fumadores que hayan estado expuestos a los efectos del amianto.

Otro grupo de investigadores de Estados Unidos y China trata de averiguar si un complemento de **selenio**, un **microelemento**, reduce las elevadas tasas de cáncer entre los residentes en ciertas áreas de China con bajos niveles de selenio en el suelo. Asimismo se intenta determinar, trabajando con grupos de personas con riesgo de cáncer de colon, si la administración diaria de 5 gramos de **calcio** reduce el peligro de desarrollo de pólipos intestinales potencialmente malignos.

¿Qué sucede una vez obtenidos los resultados de esos estudios?

Los datos obtenidos ayudan a los investigadores a acometer nuevos estudios y proporcionar información que permita a ciertas personas tomar una decisión respecto de su dieta y complementarla. Pero muchos de esos estudios necesitarán investigaciones ulteriores para determinar el papel de las vitaminas y los minerales en la prevención de enfermedades.

«Sabemos —dice un especialista en cáncer de pulmón— que una dieta adecuada protege de ciertas clases de cáncer y de otras enfermedades a las personas que la observan durante años, pero ignoramos aún si cabría hacer algo para superar toda una vida de riesgos con tan sólo un breve período de complementos, incluso de niveles bastante altos.

»Cada investigador en este terreno ha de abordar muchos factores desconocidos: qué cantidad asignar de un elemento nutritivo, durante cuánto tiempo, etc. Eso es lo que algunas de las investigaciones tratan de determinar.»

VITAMINAS

Parece interesante. Sin embargo, sé muy poco de nutrición y menos todavía de las vitaminas y los minerales. Así pues, empecemos por el principio. ¿Qué son exactamente las vitaminas?

Las vitaminas son elementos nutritivos —componentes alimenticios obtenidos de nuestra dieta— que, según se ha descubierto, resultan esenciales en pequeñas cantidades para la vida humana. Esto significa que el cuerpo humano no funciona normalmente si falta en su dieta una sola vitamina.

Las vitaminas constituyen un grupo de sustancias orgánicas que no guardan una relación química. Éstas son compuestos que contienen carbono y sólo proceden de materiales vivos, plantas o animales o también de sustancias que un día tuvieron vida como el petróleo o el carbón.

¿Qué función tienen las vitaminas?

Las vitaminas desempeñan innumerables funciones en el cuerpo y cada una tiene una misión específica. Como grupo, sin embargo, la mayoría comparte ciertas funciones —favorecer el desarrollo, la capacidad de lograr una prole sana y el mantenimiento de la salud. Han de estar presentes en el cuerpo para que éste sea capaz de utilizar otros elementos nutritivos esenciales —minerales, **ácidos grasos**, **aminoácidos**— y fuentes de energía (por ejemplo, **hidratos de carbono** y **azúcar**). Las vitaminas son también importantes para mantener un apetito normal y para el tracto digestivo, la viveza mental, la salud de los tejidos y la resistencia a las infecciones bacterianas.

¿Cómo logran todo eso las vitaminas?

Nuestro cuerpo emplea vitaminas para fabricar sustancias llamadas **coenzimas**, participantes muy importantes en muchas de sus reacciones químicas que, en realidad, constituyen la esencia misma de la vida. Estas reacciones proporcionan a las células del cuerpo energía de los alimentos, proceso denominado **metabolismo**. Permiten a las células crecer y dividirse, favorecen el crecimiento de los niños y reparan tejidos en los adultos. También posibilitan que, cuando sea necesario, nuestro cuerpo constituya rápidamente una dotación de células inmunológicas para combatir una infección.

Si un niño carece de una vitamina, es posible que no consiga medrar, que no se desarrolle normalmente o que no alcance la madurez sexual. Asimismo, si un adulto se ve privado de una vitamina determinada, padecerá al cabo de un tiempo una enfermedad relacionada con esa deficiencia, como el escorbuto (por falta de **vitamina C**) o el raquitismo (por ausencia de **vitamina D**), y será más vulnerable a las infecciones. La afección que sufra dependerá exactamente de la vitamina ausente.

Sé por la bolsa de comida de mi gato que también él necesita vitaminas. Pero ¿requieren los animales las mismas sustancias vitamínicas que los seres humanos?

Todos los animales necesitan algunas vitaminas, mas no todas las conocidas como esenciales para el ser humano son también necesarias para cada especie animal. Existen, sin embargo, más semejanzas que diferencias. He aquí una distinción interesante: al contrario que las personas, la mayoría de los animales son capaces de elaborar vitamina C, por lo tanto no necesitan obtenerla de la comida. Los conejillos de Indias constituyen una excepción, y por ello son utilizados en experimentos donde no cabría emplear a seres humanos (para demostrar la capacidad de la vitamina C en la prevención del escorbuto).

Pero las personas pueden elaborar vitamina D. Y algunas de las necesidades vitamínicas de los animales y seres humanos son atendidas por **microorganismos** que viven en el tracto digestivo.

Entonces ¿tenemos en el cuerpo *cosas* vivas que fabrican vitaminas?

Sí, pero aunque sea algo sorprendente no es en absoluto perjudicial. En realidad, se trata de una situación saludable. En el intestino de los seres humanos hay bacterias, también llamadas **microflora** o microorganismos, capaces de sintetizar o producir ciertas cantidades de **vitamina K**, **B_{12}** y **biotina**, que son absorbidas a través del intestino. En la mayoría de los casos, y para permanecer sanos, necesitamos contar también con las vitaminas que recibimos en la alimentación.

Sé que puede parecer una tontería, pero ¿qué ocurre con otros seres como las plantas? ¿Requieren asimismo vitaminas?

La mayoría de plantas no necesitan vitaminas. Algunas, denominadas «formas vegetales inferiores» —bacterias y levaduras—, precisan una fuente exterior para conseguir ciertas vitaminas. Los minerales son completamente diferentes, pero ya lo veremos más adelante.

¿Qué significa la palabra «vitamina»?

La palabra «vitamina» fue acuñada en 1912 por el bioquímico polaco Casimir Funk, que fue el primero en formular la teoría de que una enfermedad podía ser debida a la falta de una sustancia en la dieta y curada gracias a ella. Créase o no, en aquella época resultaba novedosa esta manera de pensar, puesto que muchos médicos estaban demasiado obsesionados con la nueva «teoría de los gérmenes» de Joseph Lister acerca de las enfermedades y no concebían que, ciertas dolencias tuvieran su origen en la falta de algunos elementos nutritivos en la dieta.

Funk consideró que esta sustancia ausente era necesaria para la vida (*vita*) y que contenía nitrógeno (*amina*). Trabajos subsiguientes revelaron que, si bien existían muchas «vitaminas», pocas contenían nitrógeno.

¿Cuántas vitaminas hay?

Se conocen trece. Cuatro son solubles en grasas —A, D, E y K— y nueve en el agua, las vitaminas B y la vitamina C. Las vitaminas B esenciales para la salud humana son la **B_1** o **tiamina**; la **B_2** o **riboflavina**; la **niacina**; la **B_6**; la **B_{12}** o **cobalamina**; el ácido fólico; el **ácido pantoténico** y la biotina.

¿Por qué existe la distinción entre vitaminas solubles en grasa y las solubles en agua? ¿Es importante tan sólo para los investigadores?

Interesa a los científicos porque les ayuda a identificar las funciones de estas vitaminas. En lo que se refiere a los demás, tenemos que saber que las vitaminas solubles en grasa necesitan para su absorción lípidos en la dieta y que, si por alguna razón hemos de tomar complementos de esas vitaminas, es mejor que sea en una comida que contenga algo de grasa. También debemos saber que las vitaminas solubles en grasa tienden a permanecer en el cuerpo más tiempo que la mayoría de las solubles en agua; por lo que aquéllas pueden acumularse en niveles nocivos con más facilidad que estas últimas. Aunque estos niveles tóxicos sólo se alcanzan tomando excesivos complementos vitamínicos o alimentos excepcionalmente ricos en un determinado nutriente.

¿Ésas son todas las vitaminas existentes?

Hay también otras sustancias consideradas ocasionalmente vitaminas esenciales. Su rango vitamínico no ha sido sin embargo determinado. Entre estas sustancias figuran la **coleína**, el **inositol**, los **bioflavonoides**, el **ácido paraminobenzoico** (**PABA**) y algunas más.

¿Qué significa que «su rango vitamínico no ha sido determinado»?

Existen elementos nutritivos que pueden ser vitaminas para ciertas especies y que los seres humanos requieren en ciertas condiciones aún no bien comprendidas o que tienen funciones todavía no precisadas. Después hablaremos más de estas llamadas **cuasivitaminas**.

Actualmente el caroteno beta recibe una gran atención. Sin embargo, usted no lo menciona en la lista de las trece vitaminas conocidas. ¿Es una cuasivitamina?

No. El caroteno beta es un **precursor** de la **vitamina A**. En otras palabras, se trata de una sustancia a partir de la cual cabe elaborar la vitamina A. Nos referiremos más detalladamente a su papel en la sección sobre la vitamina A del capítulo 8.

Usted dice que las vitaminas participan en el metabolismo energético. ¿Proporcionan energía?

Las vitaminas no proporcionan energía, pero su intervención es fundamental en las reacciones que producen energía en nuestro cuerpo, las que ayudan a nuestras células a quemar azúcar o grasa para lograr energía. Sin embargo, las vitaminas por sí solas son insignificantes como fuentes de energía biológica.

Antes de seguir adelante, ¿en qué consiste exactamente el proceso del metabolismo?

Por metabolismo se entiende habitualmente un complejo proceso químico que supone la desintegración de los alimentos y la obtención de energía a partir de éstos. El proceso metabólico permite que nuestro cuerpo convierta las calorías de los alimentos (hidratos de carbono, azúcar y grasa) en energía utilizable.

En un sentido amplio, el metabolismo abarca también muchos de los procesos físicos y químicos por los que se constituyen y mantienen las sustancias organizadas y vivas, incluyendo las células.

¿Qué sucede pues cuando no tenemos cantidad suficiente de una vitamina para el metabolismo?

Si escasea una vitamina, es posible que no se complete el metabolismo. Tal vez se sufra fatiga como resultado de la incapacidad para proporcionar energía al cuerpo; y puede que se lleguen a padecer problemas de salud si en las células o la sangre se acumulan grasas, proteínas, hidratos de carbono y azúcares que no han tenido el adecuado proceso metabólico.

¿Cómo conseguimos las vitaminas?

Parte de la definición de vitamina es que ha de obtenerse, al menos parcialmente, del exterior del cuerpo, puesto que no podemos fabricar vitaminas en las cantidades adecuadas. Las conseguimos de la comida —también de productos enriquecidos con vitaminas— y de los complementos vitamínicos.

¿Contienen vitaminas todos los alimentos?

Los alimentos contienen vitaminas, pero unos constituyen fuentes vitamínicas mejores que otros.

Algunos alimentos tradicionalmente considerados sanos, el hígado, la melaza residual, el arroz integral, el trigo germinado, los huevos, la **levadura de cerveza** y el bretón, contienen una gama impresionante de vitaminas y minerales.

Y otros alimentos proporcionan grandes cantidades de una determinada vitamina. Los cítricos y los pimientos rojos, por ejemplo, rebosan de vitamina C; el aceite de trigo germinado es una buena fuente de vitamina E y el perejil tiene grandes cantidades de vitamina K.

¿Hay alimentos que no contengan vitaminas?

Aunque proporcionen abundantes calorías, algunos alimentos como el azúcar, la grasa animal (manteca de cerdo), el agua gaseosa y el alcohol están desprovistos de vitaminas. Son lo que los especialistas en nutrición y **dietistas** denominan «calorías vacías». De hecho, se trata de algo peor que eso, puesto que esos alimentos requieren para su metabolismo vitaminas y minerales. Así que utilizan en el cuerpo humano importantes nutrimentos sin reemplazarlos. Si se toma mucho azúcar o grasa o más de una o dos bebidas alcohólicas al día, se incrementan las necesidades vitamínicas, lo que supone un aumento del riesgo de padecer una deficiencia vitamínica.

Parece por tanto que, si queremos conseguir vitaminas, es mejor alimentarse con arroz integral y algas marinas. ¿Es así?

Su dieta no tiene por qué ser tan severa para obtener los elementos nutritivos que necesita. Pero la norma general es que cuanto menos elaborado esté un alimento, más nutrimentos conservará. Eso reza tanto con las vitaminas como con los minerales. En los alimentos elaborados enriquecidos se reponen en parte las vitaminas y los minerales perdidos durante su tratamiento. Las sustancias alimenticias fortalecidas pueden contener elementos nutritivos de que originariamente carecían. Pero estamos adelantándonos en la cuestión. Ya nos referiremos después más detalladamente a los alimentos **enriquecidos** y a los **fortalecidos**.

Ha dicho que podemos conseguir vitaminas bajo la forma de un complemento. Las vitaminas contenidas en los fármacos, ¿son iguales que las que encontramos en los alimentos?

En su mayor parte, se trata exactamente de lo mismo. Luego hablaremos más acerca de los complementos vitamínicos y de minerales.

MINERALES

Muy bien, y ahora que ya sé algo sobre las vitaminas, me gustaría que me hablara de los minerales.

Los minerales —calcio, magnesio, **hierro**...— son compuestos inorgánicos. Eso significa que, a diferencia de las vitaminas, las moléculas minerales no contienen carbono y no proceden de organismos vivos.

Entonces ¿cómo obtenemos los minerales? ¿Comiendo rocas?

Indirectamente. El organismo humano obtiene los minerales al ingerir alimentos vegetales y animales y del agua, que puede contener minerales disueltos. Los complementos constituyen otro modo de conseguirlos.

Ha mencionado ya varios minerales, pero ¿cuáles son los que necesitamos?

Son quince los considerados esenciales para los seres humanos: calcio, magnesio, **fósforo**, **sodio**, potasio, **azufre**, **cloro**, hierro, **yodo**, **cobre**, **manganeso**, **cinc**, **molibdeno**, selenio y **cromo**.

¿Cómo se introduce un compuesto inorgánico, como un mineral, en las plantas, que son seres orgánicos?

Las plantas obtienen minerales del suelo en que crecen, si éste sufre un déficit de cierto mineral, aquéllas padecerán la escasez del mismo. En una determinada región de China, por ejemplo, la tierra carece de selenio; por ello la dieta de sus habitantes es baja en este **microelemento** mineral esencial, lo que hace que la población sufra una incidencia elevada de cardiomiopatías (una enfermedad del músculo cardíaco) y de cáncer de estómago, esófago e hígado. Los estudios llevados a cabo en China, donde se añadieron a la dieta complementos de selenio, contribuyeron a demostrar que este mineral resulta esencial para la salud humana y a determinar las cantidades requeridas.

Ha hablado de microelemento mineral. ¿Qué es eso?

Los microelementos son minerales que sólo necesitamos en pequeñas cantidades. Los minerales se agrupan a menudo en dos categorías: los necesitados en nuestra dieta en cantidades superiores a los 100 miligramos diarios y los que se requieren en una cantidad menor. Se habla de minerales al hacer referencia a aquellos que precisamos en cantidades mayores de 100 miligramos al día y de microelementos minerales a los requeridos en un volumen inferior (menos de 100 miligramos diarios). Hay incluso algunos llamados **ultramicroelementos minerales**, como el molibdeno, preciso sólo en fracciones de miligramos.

El término microelemento, ¿es equivalente al de microelemento mineral?

Sí. Ambos poseen el mismo significado y son intercambiables.

¿Hay alimentos con un contenido mineral superior al de otros?

Sí. Los minerales se hallan presentes en cantidades diversas en la mayoría de los alimentos. Los productos lácteos, por ejemplo, constituyen una fuente excelente de calcio, así como de potasio y magnesio. Frutas y verduras proporcionan potasio, magnesio y a veces calcio. Las carnes, las aves y el pescado contienen hierro, cinc, cobre y otros microelementos minerales, mientras que los cereales integrales aportan magnesio, hierro, cinc, cobre y otros microelementos.

Algunas hierbas y especias presentan una intensa concentración de microelementos minerales. El tomillo, por ejemplo, contiene cien veces más cromo que la carne y cuatrocientas veces más cantidad de manganeso. La pimienta negra, el ajo, el jengibre y las hojas de laurel abundan en microelementos minerales. De hecho, se ha sugerido que esa riqueza del sabor es debida a la concentración de tales minerales.

¿Cuáles son pues los alimentos que no proporcionan minerales?

Entre los que no contienen cantidades apreciables de minerales figuran las grasas animales, los aceites, el azúcar, el alcohol y, a no ser que estén enriquecidos, los cereales refinados como la harina blanca.

¿Qué funciones llevan a cabo los minerales?

Aunque tal vez actualmente reciban una atención inferior a la que obtienen las vitaminas, los minerales son tan cruciales como éstas para el funcionamiento adecuado del cuerpo humano. Al igual que las vitaminas, los minerales dietéticos participan en muchos procesos bioquímicos y fisiológicos necesarios para una buena salud

Por ejemplo, el calcio, un mineral importante para la fortaleza de los huesos, desempeña también un gran papel en la regulación de la tensión sanguínea, la coagulación de la sangre, el mantenimiento del tono muscular y las contracciones rítmicas normales del corazón.

El hierro, conocido generalmente por su decisivo papel en el transporte de oxígeno por todo el cuerpo, interviene también en el funcionamiento adecuado de la glándula tiroides, en la producción de **neurotransmisores** (sustancias químicas que permiten el funcionamiento del cerebro y de los nervios), en la regulación de la temperatura del cuerpo y en el metabolismo.

Y el magnesio, un mineral del que probablemente pocos saben algo, participa en más de trescientas reacciones bioquímicas en el cuerpo. Desempeña un papel crucial casi en todas las funciones corporales, desde el desarrollo de los huesos hasta la regulación de la tensión sanguínea y el funcionamiento adecuado del cerebro.

¿Hay otros minerales esenciales además de los que ya ha mencionado?

Posiblemente. Ciertos microelementos minerales parecen ser importantes para los animales —flúor, estaño, boro, vanadio, silicio, níquel, arsénico, cadmio y plomo—, pero todavía ha de determinarse la misión, si es que existe, de estos elementos en la nutrición humana.

«Aún queda mucho por aprender acerca del papel de los minerales, sobre todo de los microelementos minerales —reconoce un especialista en nutrición humana—. Especialmente en lo que se refiere a algunos de los microelementos minerales más esotéricos, como el boro e incluso el manganeso, se sabe poco del volumen que hay en los alimentos o del modo en que es absorbido. Los microelementos se hallan en los alimentos en cantidades tan pequeñas que el equipo y los procedimientos de detección son bastante complejos y caros.»

LA MISIÓN DE LA INVESTIGACIÓN

¿Cómo han llegado a determinar los investigadores que las vitaminas y los minerales son esenciales para la vida?

La primera «investigación», si usted quiere, consistió en la simple observación de que quienes seguían ciertas dietas restrictivas no parecían hallarse muy bien. Por ejemplo, hacia 1498 se advirtió que a los marineros que durante meses vivían a base de galletas secas y carne en salazón a menudo les sangraban las encías, tenían magulladuras bajo la piel, ésta cobraba una cierta aspereza, les dolían las articulaciones y experimentaban fatiga, una degeneración de los tejidos y frecuentes infecciones. Más tarde se descubrió que se trataba del escorbuto, una enfermedad, mortal en muchos casos, provocada por la carencia de vitamina C.

Transcurrieron, sin embargo, siglos antes de que se reconociera que los cítricos, y en especial la vitamina C, previenen el escorbuto. En 1804 la marina británica estableció como práctica diaria la distribución de raciones de lima a todas las tripulaciones, circunstancia que dio lugar al calificativo de *limey* con que se designó a cualquier marinero británico. Ya en este siglo y en la década de los treinta, se aisló y sintetizó la vitamina C, creada en laboratorio con fines de investigación. El nombre científico de **ácido ascórbico** (antiescorbútico) todavía recuerda su pasado marino.

¿Alguna otra investigación notable de hace siglos?

El escorbuto no fue la única condición relacionada con la nutrición y observada antaño. Los textos de antiguos médicos griegos, romanos y árabes revelan que del hígado animal, rico en vitamina A, se conocía su eficacia tanto en la prevención como en la curación de la ceguera nocturna, condición que se sabe ahora determinada por deficiencia de la vitamina A. Y nada menos que en el 2600 a.C. los estudiosos chinos advirtieron síntomas como la degeneración nerviosa **periférica**, el agrandamiento del corazón y la retención de fluidos en poblaciones asiáticas cuya subsistencia estaba basada en el arroz refinado. Tales síntomas son los del beriberi, una enfermedad causada por la deficiencia de tiamina.

(El arroz integral es una buena fuente de tiamina, a diferencia del refinado y no enriquecido.)

Dejemos ya tales observaciones. ¿Qué descubrimientos nos depara la ciencia moderna?

Son precisos dos factores antes de que los investigadores puedan abordar lo que se concibe como ciencia moderna de la nutrición, afirma un profesor de esta especialidad.

En primer lugar los científicos tienen que saber bastante acerca de los elementos dietéticos para ser capaces de constituir una dieta purificada. Esta clase de dietas fueron formuladas mediante el empleo de ingredientes como proteínas aisladas y azúcar, féculas y grasas muy refinados.

En segundo lugar los investigadores han de hallar modelos animales. Según un especialista en la materia, el primero de estos animales fue descubierto de una manera completamente fortuita por un observador perspicaz.

¿De qué animal se trataba?

El pollo. Y he aquí cómo sucedió. Un investigador, Christine Eijkman, buscaba el germen que fuese la causa del beriberi. Resultó que criaba pollos, pero agotó el arroz integral y hubo de alimentarlos con arroz refinado hasta recibir meses más tarde un nuevo envío. Mientras tanto, muchos de los pollos revelaron síntomas que eran sospechosamente similares a los del beriberi. Cuando descubrió que el progreso de los síntomas se invertía al alimentar a los pollos con arroz no refinado empezó a utilizar a estos animales en sus estudios y con el tiempo llegó a demostrar que había algo en la cáscara de este cereal que protegía contra esa enfermedad.

¿Se trata de un proceso típico de las primeras investigaciones?

Hasta cierto punto. Por lo que atañe a la mayoría de las vitaminas y de los minerales, el proceso de investigación suponía aislar una sustancia de la comida, alimentar a animales con una dieta deficiente en esa sustancia, observar si desarrollaban una enfermedad, introducir la sustancia ausente para ver si desaparecía el mal y, en algunos casos, proporcionar la misma sustancia a seres humanos que pareciesen sufrir esa enfermedad. Por lo general, el análisis químico y la fabricación sintética de una vitamina comenzaron años después de que la sustancia fuese aislada e identificada.

¿Las letras de las denominaciones de las vitaminas —A, B, C, etc.— tienen alguna relación con el orden en que se descubrieron?

Pretendían tenerla, pero la ciencia no es siempre tan ordenada como nos gustaría. La vitamina A fue la primera que se descubrió, pero las vitaminas B complicaron bastante la cuestión. Al principio se pensó que sólo era una y la llamaron B soluble en agua. Más tarde, empero, advirtieron que lo que habían juzgado una molécula representaba en realidad un conjunto y así algunas de las vitaminas B recibieron letras y números.

Actualmente los investigadores prefieren abandonar las designaciones numéricas y mencionan las vitaminas por sus nombres específicos. Se puede ver, por ejemplo, denominada la B_6 como piridoxina en la etiqueta de un frasco farmacéutico. El grupo vitamínico B es conocido como **complejo B**.

La vitamina K se llama así porque sus descubridores daneses averiguaron que era necesaria para la coagulación de la sangre. Y coagulación en danés comienza con K.

¿Cómo determinan los investigadores qué cantidades de una vitamina o de un mineral son necesarias para una buena salud?

La mayoría de las investigaciones para determinar el volumen necesario de un elemento nutritivo para una buena salud han estado basadas en la ausencia de síntomas físicos asociados con la deficiencia. Se considera adecuada la cantidad de un nutrimento que impide la aparición de síntomas relacionados con la deficiencia.

Más recientemente, sin embargo, se realizan investigaciones para determinar los volúmenes precisos de sustancias nutritivas para una salud óptima: los que se necesitan para lograr una mayor resistencia al cáncer y a la infección, los que ofrecen menor riesgo de diabetes y afecciones cardíacas, e incluso los que propician la longevidad. A estas cantidades se las considera niveles óptimos. Aún quedan por calcular las cantidades óptimas de muchos elementos nutritivos e investigadores y funcionarios de la sanidad pública discuten frecuentemente acerca de las dosis que habría que recomendar oficialmente.

VITAMINAS Y MINERALES EN LA DIETA DIARIA

¿Se pueden obtener de los alimentos que se ingieren todos los minerales y vitaminas que se necesitan?

Con la alimentación cabe conseguir un volumen adecuado de cada sustancia nutritiva. Sin embargo, no resulta fácil y exige tanto una planificación como tomar un número mínimo diario de calorías de alimentos ricos en nutrimentos.

Pero mediante una dieta normal resulta imposible lograr niveles óptimos de algunos elementos nutritivos, como la vitamina E. Aunque se tome gran cantidad de aceites vegetales y nueces, una dieta de unas 2.500 calorías proporcionaría como mucho unas 50 unidades internacionales de vitamina E. Asimismo algunos especialistas sostienen que resulta imposible obtener de dietas inferiores a 4.000-5.000 calorías diarias los volúmenes ideales de microelementos minerales como el cromo.

¿Influye pues la cantidad diaria de comida en la posibilidad de obtener todos los minerales y vitaminas que necesito?

Desde luego, al igual que cuentan los alimentos que se escogen. Con más frecuencia que los hombres, las mujeres no obtienen los minerales y vitaminas precisos porque observan dietas que limitan la ingestión de calorías. La mayoría de los especialistas en nutrición admiten que es improbable conseguir todos los minerales y vitaminas precisos con menos de 1.800-2.000 calorías diarias, incluso mediante una dieta cuidadosamente planificada. Puede que un régimen bajo en calorías no sea perjudicial si se observa tan sólo unas semanas; pero si se sigue durante unos meses, afirman los expertos, tal vez se experimente fatiga u otros problemas relacionados con deficiencias nutritivas. Ésta es la razón de que muchos programas dietéticos recomienden ahora más calorías y cerca de una hora de ejercicio al día para quemar unas trescientas.

Necesito por tanto una cierta cantidad de alimentos. Pero ¿qué hay de la calidad? ¿Qué he de tomar para garantizar la obtención de las vitaminas y los minerales que necesito?

Todos los expertos en nutrición insisten en que la dieta sea variada, que contenga productos de todos los grupos alimenticios y, dentro de cada uno de éstos, unas combinaciones creativas que amplíen su gama de selección, desde manzanas a kiwis, de colinabos a ñames.

¿Grupos alimenticios? He oído hablar de cuatro grupos básicos, pero no recuerdo cuáles son. ¿Han sido reemplazados con algo por completo diferente?

Durante muchos años en las escuelas se ha hablado de los cuatro grupos alimenticios básicos, unas orientaciones dietéticas del Departamento de Agricultura de Estados Unidos que dividían los alimentos en productos lácteos, carnes, verduras y frutas, y cereales.

El hecho de que se insistiera demasiado en la importancia de las carnes ricas en grasa y en los productos lácteos, unido a la circunstancia de que investigaciones subsiguientes revelaron los beneficios para la salud de una dieta basada en fibras, cereales y verduras, condujo al desarrollo de nuevas orientaciones dietéticas y de un nuevo instrumento docente denominado la pirámide alimentaria.

¿Cuáles son las nuevas orientaciones del Departamento de Agricultura de Estados Unidos?

Actualmente se dividen los alimentos en seis grupos y se recomienda tomar diariamente cierto número de porciones de cada uno, excepto en lo que se refiere a grasas, aceites y dulces, para los que se sugiere un empleo frugal. Estas orientaciones se hallan representadas en la pirámide alimentaria.

¿Cuál es la cantidad considerada de esas porciones?

Para leche, yogur y queso: una taza de leche o yogur, 45 gramos de queso natural o 60 gramos de queso elaborado. Para la carne: 60 a 90 gramos de carne cocida magra, pescado o aves; una taza o taza y media de legumbres secas cocidas, dos a tres huevos y entre cuatro y seis cucharadas de manteca de cacahuete. Para las verduras: una taza de verduras crudas con hojas, media taza de otras verduras (cocidas o picadas crudas) o tres cuartos de taza de zumo. Para la fruta: una manzana, un plátano o una naranja medianos; media taza de fruta picada, cocida o de lata; tres cuartos de taza de zumo. Para el pan, los cereales, el arroz y la pasta: una rebanada de pan, unos 30 gramos de cereales listos para consumo o media taza de cereales, arroz o pasta cocidos.

¿Existen otras orientaciones sobre alimentación? Es cierto que diversas entidades oficiales y privadas han formulado indicaciones sobre lo que se debe comer?

Sí, existen otras orientaciones, pero vienen a ser prácticamente lo mismo. Así, por ejemplo, además de las recomendaciones de la pirámide alimentaria, cabe señalar las siguientes indicaciones:

- Comer alimentos variados.
- Mantener un peso saludable.
- Elegir una dieta baja en grasas, grasas saturadas y colesterol.
- Seguir una dieta abundante en verduras, frutas y cereales.
- Tomar con moderación el azúcar y la sal.
- Si se toman bebidas alcohólicas, hacerlo con moderación.

¿Por qué considera el gobierno federal de Estados Unidos que tiene que decir a la población qué debe comer? ¿Acaso los norteamericanos no comen bien, en comparación con la mayoría de los países?

Los norteamericanos gozan ciertamente de la oportunidad de tomar más alimentos que las personas de muchos países, pero eso no significa necesariamente que coman bien. La ingestión copiosa, sobre todo de grasas, azúcar, sal y calorías, ha sido ligada a muchas de las enfermedades crónicas a las que son propensos los norteamericanos. Y como la atención médica de esas enfermedades absorbe mucho dinero procedente de los impuestos, al gobierno de Estados Unidos le interesa que los ciudadanos coman mejor.

¿Cómo se alimentan los norteamericanos?

Mal, en su mayoría, según los últimos estudios sobre la materia. Una reciente investigación de la Universidad de California en Berkeley reveló que sólo el 2 % de los norteamericanos mantiene una ingestión de grasas por debajo del 30 % de calorías y recibe dos terceras partes de las cantidades diarias recomendadas de elementos nutritivos. El estudio mostró además que sólo el 22 % obtenía dos terceras partes de todas las dosis recomendadas de vitaminas y minerales y que únicamente el 14 % había alcanzado el no muy bajo objetivo de 30 % o menos de grasas.

Ni un solo grupo de edad, sexo, raza o conjunto demográfico come especialmente bien, según el estudio de California, pero varios grupos parecen tener sus propios vicios dietéticos: alcohol en los varones jóvenes y escasez de calorías y de nutrimentos en las mujeres jóvenes.

Asimismo esta investigación ha determinado que las dietas de elevado contenido lípido se hallan ligadas a una ingestión inadecuada de vitaminas y minerales, porque las grasas añaden muchas calorías a una dieta, pero esencialmente no aportan vitaminas ni minerales. Sólo los aceites vegetales proporcionan una cierta cantidad de vitamina E. Un reciente estudio sobre ingestión de esta vitamina demostró que la mayoría de las personas la obtienen de empanadas de aceite y de alimentos al horno, aunque un pequeño porcentaje de individuos recibía grandes cantidades de vitamina E y de otros minerales y vitaminas de los cereales fortalecidos del desayuno.

Así pues, la comida es el medio más óptimo de conseguir los minerales y vitaminas necesarios, sin embargo, resulta evidente que no comemos bastante cantidad de los alimentos que los contienen para evitar los problemas carenciales. ¿De qué otras maneras cabe atender a nuestras necesidades de vitaminas y minerales?

Una de las fuentes es la constituida por los alimentos enriquecidos y fortalecidos. Y ése es el tema del capítulo siguiente.

2

ALIMENTOS ENRIQUECIDOS Y FORTALECIDOS

Ha dicho usted varias veces que en ocasiones se añaden a los alimentos vitaminas y minerales. ¿En qué consiste este proceso?

Agregar vitaminas y minerales a ciertos alimentos, tanto enriqueciéndolos como fortaleciéndolos, es una práctica habitual. El enriquecimiento, recordará, supone reemplazar los elementos nutritivos perdidos durante la elaboración del alimento. El fortalecimiento consiste en dotar a una sustancia alimenticia de más nutrimentos de los que tiene naturalmente. Al arroz refinado y dotado de hierro y vitaminas B se le denomina «enriquecido», porque recobra algunos de los elementos nutritivos perdidos en su tratamiento. Por otro lado, se considera alimento fortalecido el zumo de naranja dotado de calcio porque en su estado natural contiene poco calcio.

¿Quiere decir que se añaden vitaminas y minerales a los alimentos porque las personas necesitan los elementos nutritivos?

En algunos casos, sí; se agregan vitaminas y minerales a unos alimentos seleccionados y de gran consumo para asegurarse de que la población ingiera la cantidad suficiente de determinado nutrimento.

Por ejemplo, en Estados Unidos, desde 1924, se añade yodo a la sal, y esta adición ha eliminado un problema bastante corriente en algunos estados: el **bocio**, una hinchazón de la glándula tiroides debida a la deficiencia de yodo. Un poco menos de media cucharadita de sal yodada proporciona yodo suficiente para prevenir el bocio. Sin embargo, no toda la sal contiene esta sustancia. La Administración exige a los fabricantes que elaboren tanto sal yodada como no yodada, y la sal *kosher*[1] no está yodada.

En 1929 se decidió que la leche fuese portadora de la vitamina D, y en sólo unos años este programa de fortalecimiento redujo del 16 al 7 por ciento la incidencia del raquitismo, una enfermedad infantil de malformación de los huesos. La leche fortalecida tiene aproximadamente 400 unidades internacionales de vitamina D, la proporción recomendada.

Tras haberse descubierto que la vitamina A mejoraba las relaciones inmunológicas de niños y mujeres, en la década de los cuarenta se agregó esta vitamina a la leche desnatada y desgrasada. La vitamina A no se añade a la leche entera, que ya contiene de modo natural

1. Término hebreo que se aplica a los alimentos que cumplen los requisitos prescritos por la legislación religiosa judía *(kashrut)*. *(N. del T.)*

cierta cantidad. Aproximadamente un litro de leche entera proporciona el tercio de la vitamina A que se necesita diariamente.

En algunas comunidades, el agua municipal es portadora de fluoruro, un mineral que contribuye a fortalecer la dentadura infantil.

Algunos alimentos considerados «sustitutos» de otros son fortalecidos con los elementos nutritivos de éstos. Alimentos sustitutivos como las bebidas de frutas no cítricas (zumo de manzana o ponche de frutas) pueden ser fortalecidos con vitamina A. Desde las entidades oficiales se exige que los alimentos de bebés y los productos farmacéuticos líquidos para éstos contengan ciertas sustancias nutritivas esenciales. Los alimentos de bebés, por ejemplo, cuentan con el contenido nutricional de la leche materna.

¿Y la harina? Los paquetes de las marcas que compro indican siempre que está enriquecida.

En Estados Unidos, por ejemplo, el enriquecimiento obligatorio del pan y la harina, introducido en 1942, fue sustituido después de la Segunda Guerra Mundial por un programa voluntario bajo la jurisdicción de cada estado. En la actualidad la mayoría del pan y la harina blancos se halla enriquecida con tres vitaminas del complejo B —tiamina, riboflavina y niacina— y con hierro. El arroz refinado también está enriquecido con estos elementos nutritivos y en algunos lugares se añaden asimismo a la harina y la sémola de maíz, los macarrones y los tallarines. La harina integral no ha sido enriquecida porque de modo natural contiene éstas y otras sustancias nutritivas.

¿Qué me puede decir sobre esos productos alimenticios que se anuncian como poseedores de todos los minerales y vitaminas existentes e incluso de algunos más?

Siguiendo una estrategia comercial, algunos fabricantes añaden vitaminas y minerales a los alimentos. Algunos cereales que se sirven fríos o ciertos artículos para consumo de deportistas alardean de poseer una variedad de vitaminas y minerales. No existen normas respecto del fortalecimiento de alimentos, mas «por lo general hay una especie de procedimiento racional —dice un especialista en nutrición—. Muy pocos de estos alimentos superan el ciento por ciento de la ración dietética recomendada. Y no es posible añadir algo sin indicarlo en la etiqueta».

La **ración dietética recomendada** es una cantidad aceptada como adecuada. Después nos referiremos más ampliamente a esta medida.

¿Constituyen los alimentos enriquecidos o fortalecidos un modo costoso de conseguir elementos nutritivos?

No. Representan un medio barato de lograr cantidades adecuadas de determinadas sustancias, especialmente para grupos de población específicos (por lo común, mujeres y niños). «El enriquecimiento de los alimentos —asegura un especialista— es una de las intervenciones más rentables en beneficio de la salud pública. Resulta más barato que tomar complejos vitamínicos.»

En razón de las magnitudes que intervienen, el fortalecimiento de una ración alimenticia con el ciento por ciento del volumen recomendado de un elemento nutritivo representa una escasa cantidad de dinero.

Los alimentos enriquecidos, ¿son buenas fuentes de vitaminas y minerales?

Constituyen ciertamente fuentes valiosas de algunos de ellos. La mayoría de las personas obtiene de los alimentos enriquecidos cerca del 40 % de la tiamina recomendada, amén del 25 % del hierro, 20 % de la niacina, 15 % de la ribloflavina y 10 % de las vitaminas A y C.

«Si no fuese por esos alimentos —dice un especialista en nutrición— probablemente seguirían manifestándose enfermedades carenciales como la **pelagra**, una afección determinada por la deficiencia de niacina. Porque, incluso con el reforzamiento, algunas personas sólo toman de los elementos nutritivos añadidos a los alimentos enriquecidos entre el 10 y el 20 % de la ingestión recomendada.» Y quienes consumen frecuentemente cereales fortalecidos consiguen la cantidad suficiente de un nutrimento como la vitamina E para ingresar en una categoría de ingestión elevada asociada con la reducción del riesgo de esta enfermedad.

¿Presenta algún problema el enriquecimiento de alimentos?

Aunque ciertas sustancias nutritivas retornan a los alimentos ya elaborados, no sucede lo mismo con muchas otras. Por ejemplo, analicemos el caso del trigo y del arroz. Las versiones molida y refinada de estos cereales contienen siempre del 20 al 50 % menos de vitamina E, ácido fólico, ácido pantoténico, vitamina B_6, calcio, magnesio, selenio, cinc y otros microelementos esenciales minerales que las versiones no tratadas.

¿Significa esto que no debo basar mi dieta únicamente en alimentos enriquecidos o fortalecidos para atender a mis necesidades nutritivas?

En opinión de los especialistas, tanto si la persona lo sabe como si lo ignora, probablemente su dieta se basa en alimentos enriquecidos para satisfacer algunas de sus exigencias nutritivas, a no ser que un individuo siga una dieta estricta en la que no figuren alimentos elaborados.

Pero ha de tenerse en cuenta que los alimentos enriquecidos carecen de ciertos elementos nutritivos también necesarios. Seguir una dieta variada en la que figuren alimentos enriquecidos, mas sin limitarse a éstos, es un modo de obtener los nutrimentos que el cuerpo humano necesita.

Pero ¿no sería suficiente tomar un cereal que contuviera todos los minerales y vitaminas que necesito?

Si basa su dieta en un determinado alimento fortalecido —por ejemplo, un cereal con todos los minerales y vitaminas esenciales— para atender a sus exigencias nutritivas, tropezará con el mismo problema a que nos referiremos en la sección de complementos vitamínicos y minerales. Hay componentes necesarios para una buena salud que no se encuentran en esos cereales: fibras, proteínas, ácidos grasos, etc. Los expertos recomiendan que esta clase de alimentos se considere como una adición, no como un sustituto de una dieta sana.

Bien, ya se ha referido al modo de obtener vitaminas de los alimentos, también de los enriquecidos y los fortalecidos. ¿Qué se puede decir de los complementos vitamínicos y minerales?

Los complementos son un modo viable de lograr las vitaminas y minerales necesarios. Vamos a examinar la cuestión detalladamente.

3

COMPLEMENTOS VITAMÍNICOS Y MINERALES

¿Quiénes toman complementos?

Un tanto por ciento muy elevado de la población toma regular u ocasionalmente complementos nutritivos, según han determinado los estudios realizados al respecto. El usuario típico es una mujer con estudios secundarios e ingresos superiores a la media.

Otras investigaciones revelan que los compuestos vitamínicos y minerales se hallan muy difundidos entre profesionales de la salud, entre los que también se encuentran los dietistas (que a menudo dicen a sus clientes que pueden obtener de una dieta equilibrada todos los elementos nutritivos que precisan). Según un estudio, el 60 % de los dietistas que respondieron a una encuesta por correo admitió que tomaba regularmente esta clase de complementos, por lo general productos multivitamínicos y minerales, vitamina C y hierro. Algunos estudios señalan que su empleo no es infrecuente entre médicos y estudiantes de medicina. Un estudio realizado en Estados Unidos indicó que el 14 % de los profesores de la Facultad de Medicina de Harvard y más del 60 % de los estudiantes de la Facultad de Medicina de la Universidad de Maryland tomaban habitualmente compuestos vitamínicos.

¿Por qué las personas toman esta clase de compuestos?

Según los estudios analizados, porque no están seguras de que su dieta contenga los elementos nutritivos necesarios, desean un mejor estado de salud del que creen que pueden alcanzar acudiendo al médico o porque han decidido tratarse personalmente una enfermedad.

Las razones que se oyen con más frecuencia son: «prevenir enfriamientos y otras afecciones»; «darme energía», y «conseguir lo que no está en la comida». Existen al menos dos estudios que muestran que los usuarios suelen tener una mala opinión de la calidad de los alimentos actuales.

¿Obtienen un beneficio las personas que utilizan complementos vitamínicos y minerales?

Son muy pocos los estudios que preguntan a los usuarios de vitaminas si encuentran útiles los compuestos. En uno de los que se interesó por la cuestión, se afirma que el 59 % de las personas que tomaban vitaminas respondieron que significaban un «cierto beneficio» para su salud y un 34 % declaró que representaban un «gran beneficio».

¿Cuáles son las vitaminas más requeridas por los usuarios?

Según la información proporcionada por un grupo de fabricantes de vitaminas, las ventas se distribuyen del siguiente modo:

Compuestos vitamínicos y minerales	42 %
Vitamina C	12,2 %
Vitamina E	9,6 %
Complejo B	9,1 %
Calcio	7,7 %
Hierro	6,8 %
Otras vitaminas	7,0 %
Otros minerales	5,6 %

Las ventas de complementos nutritivos aumentaron constantemente a lo largo de los años, desde 500 millones de dólares en 1972 a 3.300 en 1990.

A los profesionales de la salud les preocupa que algunas personas abusen del consumo de compuestos vitamínicos y minerales. ¿Es un hecho frecuente?

No, según la información recogida por la Administración de Alimentos y Fármacos. En 1986 esta entidad oficial solicitó información médica sobre los efectos secundarios adversos notados en pacientes que tomaban complementos vitamínicos y minerales. Al cabo de tres años, este organismo dio a conocer los resultados; sólo se habían detectado once resultados adversos y la mayoría de leve importancia, como el estreñimiento. En comparación y durante el mismo período, dicha entidad recibió cuatro mil informes sobre reacciones adversas del aspartame, un edulcorante artificial.

Claro está que hay que tener también en cuenta la posibilidad de que los médicos no fuesen capaces de localizar e identificar tales efectos secundarios adversos.

¿Cuál es la probabilidad de que ocurran estas infrecuentes reacciones tóxicas?

Según Patricia Hausman, autora de *The Right Dose*: «En cerca de la mitad de los casos, las reacciones tóxicas se produjeron porque el médico recetó una gran dosis de una vitamina o de un mineral con el fin de tratar alguna condición patológica, por ejemplo, aconsejar grandes cantidades de cinc para el tratamiento del acné.» Otras intoxicaciones se producen al incorporar a un alimento durante su elaboración cantidades excesivas de un elemento nutritivo, un exceso de vitamina D en la leche, por ejemplo. «Además —observa Hausman— algunas personas, pocas en realidad, cometen tonterías.»

La mayoría de los efectos adversos menguan en cuanto se interrumpe la dosis elevada.

Otro estudio de la Administración de Alimentos y Fármacos muestra que muchos de los usuarios de vitaminas toman la mayor parte de los nutrimentos en cantidades que rara vez superan en una o dos veces la ración dietética recomendada, dosis que la mayoría de expertos estima inocua, incluso en grandes volúmenes. Es probable que quienes superen estas cantidades tomen vitaminas C y E, que según la mayoría de los especialistas son completamente inofensivas aunque se ingieran grandes dosis. Algunas personas, sin embargo, consumen una cantidad superior a varios centenares de veces la ración dietética recomendada de algunas vitaminas del complejo B. En opinión de los expertos, la ingestión de tales volúmenes sólo debe llevarse a cabo bajo supervisión médica.

¿Por qué insisten los especialistas en nutrición en que los complementos vitamínicos no pueden compensar una dieta inadecuada? Yo pensaba que ésta era su principal función.

Los complementos vitamínicos y minerales son capaces de compensar algunas deficiencias nutritivas, pero no pueden subsanar toda una vida de fallos dietéticos, como un exceso de grasa, sal o calorías, según explica un experto en nutrición: «Hay componentes desconocidos —dice— de los alimentos necesarios para una buena salud y que no se encuentran en un compuesto vitamínico. Y es posible que surjan interacciones entre determinados elementos nutritivos que dependen de fuentes alimenticias. Desde luego, se necesita tomar alimentos para conseguir proteínas, hidratos de carbono, fibra, ácidos grasos esenciales y algunos microelementos minerales que no se encuentran habitualmente en los complejos vitamínicos.»

¿Qué clase de complemento vitamínico he de comprar? Hay muchos en el mercado y la información de las etiquetas no ayuda demasiado a realizar una buena elección.

Es indudable que puede ser difícil elegir, pues existen centenares de fórmulas diferentes para complementos multivitamínicos y minerales, e incluso algunos de un solo elemento nutritivo, como las vitaminas C o E, se presentan en una variedad de dosificaciones y tipos. Y en el comercio, vitaminas y minerales pueden aparecer junto a hierbas y otros ingredientes no vitamínicos, circunstancia que hace más difícil la selección.

Idealmente, antes de ir a comprar, se debe poseer una noción clara de las sustancias nutritivas que se busca y en qué cantidades. Puede redactar una lista de las vitaminas y minerales que desea, basada en los puntos fuertes y débiles de su dieta y en sus necesidades y preferencias. Lleve la lista cuando vaya a comprar. Infórmese entonces de los ingredientes por las etiquetas de diversos compuestos a la venta y elija aquel que en su opinión se aproxime más a sus necesidades.

Parece bastante fácil, pero ¿puede darme un ejemplo de cómo funcionaría?

Imaginemos, para empezar, que, al igual que muchas otras personas, usted decide tomar un complemento nutritivo como «seguro» de que proporciona a su organismo todas las vitaminas y minerales que necesita. En este caso, la mayoría de los expertos le recomendaría adquirir un compuesto vitamínico y mineral que proporcione el ciento por ciento de la ración dietética recomendada de los elementos nutritivos que la determinan. Gran parte de estos productos contienen, en diversas dosis, algunas de estas sustancias, pero no todas. Tienden a proporcionar una mayor cantidad de las vitaminas más baratas y menos voluminosas y menos de las caras o de magnitud considerable.

¿De qué elementos nutritivos carecen?

Lea las etiquetas para averiguarlo, puesto que varía según las marcas. Por lo general, sin embargo, muchos de los complementos multivitamínicos y minerales no contienen fósforo ni yodo, ya que la mayoría de las personas los consume en mayor cantidad de la que precisan. Por otro lado, algunos estudios han mostrado que las personas no parecen sufrir como resultado efectos adversos. Además, como es rara la deficiencia de vitamina K, ésta no suele figurar en los complementos multivitamínicos. Así pues, a no ser que se padezca algún problema concreto, no es necesario tomar mediante esta clase de compuestos ninguno de estos elementos nutritivos.

Compruebe si el producto que va a adquirir contiene selenio (no todos lo llevan), una sustancia esencial que a menudo falta en la dieta de muchas personas. Opte por alguno que contenga entre 50 y 200 microgramos de selenio.

Algunos compuestos vitamínicos y minerales poseen hierro, otros, no. Según sugiere una investigación finlandesa, cabe relacionar una elevada concentración de hierro en el cuerpo con un incremento del riesgo de afecciones cardíacas. Así pues, de no ser una mujer premenopáusica, quizá no desee ni necesite hierro complementario. Compruebe las etiquetas para asegurarse de que no existe esta sustancia en el producto que compra.

Existen elementos nutritivos que son esenciales pero no tienen una ración dietética recomendada, ¿deben figurar también en un complemento multivitamínico y mineral?

En lugar de una ración dietética recomendada, estos elementos poseen la medida de una **ingestión dietética diaria estimada segura y adecuada**, asignada a las sustancias nutritivas esenciales sobre las que la información disponible es harto escasa para fijar una ración dietética recomendada; es lo que ocurre con la biotina, el ácido pantoténico, el cobre, el manganeso, el fluoruro, el cromo y el molibdeno. Su probabilidad de figurar en un producto multivitamínico y mineral es inferior a la de los elementos nutritivos con ración dietética recomendada y no todos los expertos están de acuerdo en que se incluyan en los compuestos, según afirmaciones de un profesor de química médica.

Algunos especialistas estiman que el cromo, el cobre y el manganeso son los elementos nutritivos sin ración dietética recomendada mejor avalados por las investigaciones para ser empleados como complementos.

El fluoruro no figura en la mayoría de esta clase de productos, pues no se ha demostrado que un complemento de este elemento tenga valor alguno en los adultos y porque si se ingieren dosis elevadas se puede provocar una irritación de estómago.

¿Y si deseo consumir antioxidantes **—vitaminas C y E y el caroteno beta— en cantidades superiores a las de la ración dietética recomendada?**

Una vez más compruebe las etiquetas. Algunos productos ofrecen grandes cantidades de estas sustancias, pero no es así en la mayoría de ellos. Resulta bastante fácil, y a veces más barato, adquirir simplemente complementos aislados de vitaminas C y E y de caroteno beta.

Actualmente existen algunas que indican en sus etiquetas que contienen caroteno beta, pero no señalan la cantidad. Si desea saber qué va a consumir, busque un producto que relacione separadamente las cantidades de vitamina A y de caroteno beta. La mayoría de los complementos múltiples proporcionan muy poco caroteno beta, sólo entre 1.000 y 2.500 unidades internacionales, equivalentes a 0,5-1,5 miligramos. Como punto de comparación, debe saber que dos centímetros y medio de zanahoria contienen aproximadamente 1,5 miligramos de caroteno beta. «[En un complemento multivitamínico] —dice un experto— no hay la cantidad suficiente de caroteno beta para que, el producto sea significativo en términos de efecto antioxidante.»

Por otro lado, los complementos aislados de caroteno beta ofrecen a menudo hasta 15 miligramos, un poco más de lo que se encuentra en una zanahoria de unos veinte centímetros de longitud.

Me sorprendió saber que el conocido complemento multivitamínico y mineral que estaba tomando contenía muy poco calcio. ¿Es algo común?

Sí. En la mayoría de los compuestos vitamínicos y minerales escasea el calcio y también el magnesio. Esto es, simplemente, porque estas voluminosas sustancias no encajan en una píldora diaria.

La mayoría de estos productos de complejos nutritivos contiene además muy poco potasio, al igual que sucede con los complementos aislados de este elemento. Cada cápsula suele contener 99 miligramos de potasio, aproximadamente lo mismo que se encuentra en dos centímetros y medio de plátano. La gama recomendada es de 2.000-6.000 miligramos de potasio al día. Así pues, a menos que esté tomando compuestos vitamínicos con una dosis elevada de potasio recetados por su médico, lo mejor será que consiga este mineral de las frutas, verduras y zumos. Acompañe la toma de la cápsula con un vaso de zumo de naranja, pomelo, zanahoria o tomate, para obtener adicionalmente de 400 a 500 miligramos de potasio.

He visto complementos que contienen elementos nutritivos que usted no ha mencionado, coleína, ácido paraminobenzoico, inositol y otros. ¿Debo buscar productos que incluyan también estos elementos?

La mayoría de los expertos consideran que no hay necesidad de que estas sustancias adicionales figuren en un compuesto vitamínico. Así que no se deje engañar por una larga lista de ingredientes, entre los que también pueden estar la lecitina, el ácido glutámico, el boro, el silicio, el níquel, el vanadio y otros elementos que hasta ahora no se ha demostrado que sean necesarios en la dieta de los seres humanos. «Estos ingredientes —asegura un especialista— simplemente aumentan el precio de un complemento.»

¿Qué puede decirme de las fórmulas vitamínicas para hombres, mujeres o ancianos? ¿Debo escoger entre una de ellas?

No necesariamente. Una vez más, lea la etiqueta del producto para saber si se corresponde con sus necesidades. Según dice un experto, estas llamadas fórmulas especiales no desempeñan el papel de un complemento multivitamínico y mineral bien equilibrado. La mayoría sólo contiene dos o tres elementos nutritivos, a veces en dosis elevadas. Una fórmula premenstrual, por ejemplo, puede brindar muchas veces la ración dietética recomendada de vitamina B_6, pero poseer muy poca cantidad de otras vitaminas. Es posible que una fórmula contra la osteoporosis contenga calcio, pero carezca o integre una pequeña dosis de otros minerales importantes para los huesos.

Donde compro hay a la venta un complemento llamado Complejo C. Había oído hablar de un complejo B, pero no de un complejo C, ¿De qué se trata?

Las fórmulas con etiqueta de complejo C suelen contener bioflavonoides, sustancias halladas en las frutas que poseen vitamina C. Pueden ser mencionados simplemente bajo ese nombre o especificar las designaciones de los elementos más corrientemente empleados: **rutina**, **quercetina**, **hesperidina** y **catequina**. Ninguno de estos compuestos se considera esencial para la salud, pero varios estudios indican que desarrollan una actividad en el cuerpo. Es posible que actúen como agentes antioxidantes, antiinflamatorios y antivirales, y asimismo quizá contribuyan a reducir la sensibilidad en las reacciones alérgicas. Se cree que la rutina ayuda a invertir la fragilidad capilar que es causa de frecuentes magullamientos y hemorragias.

Un amigo toma cada día diversos complementos vitamínicos, ¿no es mejor utilizar simplemente una cápsula que contenga un compuesto múltiple de vitaminas y minerales?

Depende de la persona a quien pregunte. Es posible que algunos médicos digan que utilizar un gran número de complementos vitamínicos y minerales aislados es sencillamente tirar el dinero. Otros recomiendan los compuestos individuales, sobre todo de algunas sustancias, en concreto de minerales, porque pueden hallarse en una forma que facilite su empleo por parte de personas con problemas de absorción o porque los nutrimentos individuales son accesibles en dosis superiores a las que brindan los complementos múltiples.

¿Es mejor lo que resulta más caro?

No necesariamente. Algunos grandes minoristas, como Wal-Mart y K-mart, venden productos de fórmulas similares a las de célebres marcas, pero mucho más baratos. Reitero mi recomendación de que examine las etiquetas para saber con certeza qué recibe a cambio de su dinero. Si un fabricante asegura que su producto presenta una absorción más fácil o está más equilibrado, tal vez desee establecer contacto con él y preguntarle por las investigaciones que respaldan semejantes afirmaciones comerciales.

¿Cuál es la diferencia entre vitaminas sintéticas y naturales?

Las vitaminas naturales proceden de los alimentos. La vitamina E, por ejemplo, se extrae del aceite de soja, el caroteno beta de las zanahorias o de algas y la vitamina C de los cítricos.

Por otro lado, las vitaminas sintéticas se elaboran a partir de moléculas orgánicas que se hallan en diversas sustancias —petróleo y aceite de maíz, por ejemplo. Las vitaminas sintéticas se emplean a menudo en estudios que intentan demostrar los beneficios de los nutrimentos en nuestra dieta. «Años de investigación —afirma un experto— han determinado que las versiones natural y sintética de la mayoría de los elementos nutritivos son químicamente iguales.» Además, la elaboración de las vitaminas sintéticas resulta mucho más barata que la de las naturales.

Sin embargo, respecto de la vitamina E, tengo entendido que existe una diferencia entre las versiones natural y sintética.

Es cierto que la versión sintética de la vitamina E, tocoferol dextrógiro-levógiro alfa, es diferente de la forma natural, tocoferol dextrógiro alfa. Esta última desarrolla en el cuerpo humano una actividad ligeramente superior. «Esto sólo significa —declara un especialista— que para lograr los efectos de la versión natural hay que emplear un poco más de vitamina E sintética.»

¿Existen también formas naturales y sintéticas de los minerales?

No. Los minerales proceden de materiales obtenidos de la tierra o hallados de otro modo en la naturaleza. El calcio, por ejemplo, procede de la piedra caliza, la concha de la ostra, la cáscara de huevo o de yacimientos naturales de carbonato cálcico. Cabe combinar los minerales con proteínas u otros ingredientes para facilitar su absorción.

¿He de preocuparme de que las cápsulas de compuestos que adquiera se disuelvan adecuadamente y sean absorbidas?

Así es, según dicen los expertos, y, añaden, los fabricantes de vitaminas han abordado el problema de la solubilidad de estos productos, pero aún no lo han solucionado por completo.

Una garantía de que la vitamina que compra se disolverá adecuadamente es que por la etiqueta se asegure que el producto cumple con las normas de fabricación exigidas por las entidades oficiales.

¿Qué clase de normas?

Una de ellas señala que las vitaminas solubles en el agua —C y B— deben desintegrarse en un entorno que estimule el tracto digestivo al cabo de treinta minutos si no se hallan recubiertas o de cuarenta y cinco si lo están. Estas normas no afectan ni a los complementos de acción retardada ni a los que se mastican.

He aquí una indicación útil a propósito de la solubilidad y la absorción: por lo general, el cuerpo absorbe mejor los elementos nutritivos de un complemento vitamínico y mineral después de una comida, ya que los jugos digestivos estimulados por la ingestión contribuyen a la desintegración y absorción del compuesto.

¿Puede explicarme lo que significan las magnitudes empleadas para vitaminas y minerales? No entiendo la diferencia entre miligramos, microgramos, unidades internacionales y las otras medidas que está utilizando.

Inmediatamente. He aquí unos datos:

- Un miligramo (mg) es 1/1.000 de gramo; hay 1.000 miligramos en un gramo.
- Un microgramo (µg) es 1/1.000 de miligramo; hay 1.000.000 microgramos en un gramo.
- Una unidad internacional es una medida arbitraria que ha sido empleada con las vitaminas A y E. Pero aunque siga viendo durante cierto tiempo la mención de unidades internacionales en los frascos de vitaminas, ya no es la unidad oficial de medición.

¿Cómo se miden ahora las vitaminas A y E?

La unidad oficial de medida es ahora **equivalentes de retinol** para la vitamina A y sus diferentes formas (como el caroteno beta) y **equivalentes de tocoferol** para la vitamina E y sus diversas formas.

¿Por qué complicar las cosas? ¿Por qué no emplear miligramos como en las demás vitaminas?

Los investigadores han considerado necesario utilizar una unidad de medida que no fuese el miligramo porque las vitaminas A y E se presentan en varias formas con distintos niveles de actividad en el cuerpo y estas nuevas unidades de medida permiten compararlas y transmudarlas, teniendo en cuenta el grado de su actividad.

¿Cómo puedo averiguar más acerca de las vitaminas y minerales que necesito y en qué cantidades?

Los dos últimos capítulos de este libro analizan las vitaminas y minerales esenciales. Reflexione sobre la asiduidad en que toma alimentos ricos en un determinado elemento nutritivo para averiguar si es suficiente la ingestión de esa vitamina o ese mineral.

4

RACIONES DIETÉTICAS RECOMENDADAS, INGESTIONES DIARIAS DE REFERENCIA E INGESTIONES DIETÉTICAS DIARIAS ESTIMADAS SEGURAS Y ADECUADAS

¿Cómo puedo determinar la cantidad que necesito de una vitamina o un mineral?

La mayoría de los expertos en nutrición le indicarán que se atenga a las raciones dietéticas recomendadas.

He oído hablar de las raciones dietéticas recomendadas y he visto que figuran en las listas de elementos nutritivos en los paquetes de cereales. Pero ¿qué son en realidad?

La definición oficial procede del Consejo de Alimentación y Nutrición de la Academia Nacional de Ciencias, una institución privada sin fines lucrativos. Esta comisión define las raciones dietéticas recomendadas como «los niveles de ingestión de nutrientes esenciales que, sobre la base de los conocimientos científicos el Consejo de Alimentación y Nutrición juzga adecuados para atender a las necesidades conocidas de elementos nutritivos de casi todas las personas sanas».

¿Significa esto que debo asegurarme de obtener la ración dietética recomendada de cada elemento nutritivo?

Como decimos, se las considera en general un buen punto de partida. Usted puede comparar el volumen de una determinada sustancia nutritiva en su dieta con la ración dietética recomendada para su sexo y grupo de edad. De esta manera sabrá si toma mucha, poca o si se atiene a la cantidad precisa.

¿Las raciones dietéticas recomendadas son exactamente lo mismo que las raciones dietéticas recomendadas de Estados Unidos?

No exactamente. El Consejo de Alimentación y Nutrición fija distintas raciones dietéticas recomendadas para personas de diferentes edades y sexos. Si observa un cuadro de raciones dietéticas recomendadas, encontrará diecinueve elementos nutritivos para dieciocho grupos distintos de edad y sexo, junto con algunas otras asignaciones provisionales, en total unos cuatrocientos valores.

Mas, para simplificar la cuestión y a partir de 1968, la Administración de Alimentos y Fármacos tomó las raciones dietéticas recomendadas más altas —las de adolescentes varones—, las fijó como norma nacional para cualquiera, fuera cual fuese su sexo y edad, y las denominó raciones dietéticas recomendadas de Estados Unidos.

Entonces ¿las raciones dietéticas recomendadas de Estados Unidos son los números empleados en las etiquetas de alimentos y complementos?

Así era en el pasado, pero en 1989 la Administración de Alimentos y Fármacos, que ejerce una función en las menciones de los elementos nutritivos de las etiquetas de los alimentos, decidió dejar de emplear las raciones dietéticas recomendadas de adolescentes varones y optó por fijar promedios de las raciones dietéticas recomendadas para los diferentes grupos de edad y llamarlos **ingestiones diarias de referencia**. Unas normas que aún no han entrado en vigor determinan que se utilicen las ingestiones diarias de referencia en las menciones de sustancias nutritivas de los productos alimenticios. En las etiquetas de alimentos la ingestión diaria de referencia quedará indicada como el **valor diario**. También se hallan pendientes de adopción las normas para los complementos vitamínicos y minerales.

¿Por qué la Administración de Alimentos y Fármacos decidió abandonar las raciones dietéticas recomendadas de Estados Unidos?

La Administración de Alimentos y Fármacos afirma que las ingestiones diarias de referencia reflejan con mayor exactitud las necesidades nutritivas de las personas. John Vanderveen, director de la entidad, sostiene que el empleo de las antiguas raciones dietéticas recomendadas determinó que la población consumiera más nutrientes de los que precisaba.

¿Esto significa que los nuevos valores son más bajos que los antiguos?

Las nuevas cifras son considerablemente inferiores a las empleadas anteriormente. El paso a este sistema reducirá entre un 10 y un 80 % los valores de muchas vitaminas y del hierro. Los elementos más seriamente afectados son la vitamina B_{12}, el ácido fólico y la vitamina E.

Sin embargo a numerosos expertos en nutrición les inquieta que estas cantidades recomendadas vayan a utilizarse en muchos tipos de programas de apoyo nutritivo y en el fortalecimiento de los alimentos. Temen que si se ponen en práctica estas reducciones, las campañas de refuerzo nutritivo acaben por proporcionar menos nutrientes. Ésta es la razón de que aún no hayan entrado en vigor tales normas; la firme oposición de los especialistas en nutrición ha convencido a la Administración de Alimentos y Fármacos para diferir por ahora su entrada en vigor.

Este aplazamiento de las ingestiones diarias de referencia, ¿afectará a los nuevos requisitos de las etiquetas de alimentos de los que tanto se habla?

No enteramente. Es cierto que en 1992 una ley obligó a cambiar la mayoría las etiquetas de los alimentos en Estados Unidos.

Esta ley pretendía uniformar las etiquetas de los alimentos y hacer más fácil su lectura. En lugar de indicar los nutrientes con los porcentajes de la ración dietética recomendada de Estados Unidos, las nuevas etiquetas los mencionan con los del valor diario, al que antes nos referimos. Pero si no se adoptan las ingestiones diarias de referencia propuestas por la Administración de Alimentos y Fármacos, los valores diarios estarán basados en las antiguas raciones dietéticas recomendadas de Estados Unidos y no en las ingestiones diarias de referencia, mas no aparecerá en las etiquetas la mención «Ración dietética recomendada de Estados Unidos».

Volvamos a las sencillas raciones dietéticas recomendadas. ¿Todos los minerales y vitaminas esenciales tienen determinada su ración dietética recomendada?

No. Como dijimos previamente, falta información suficiente de algunos elementos para establecer su ración dietética recomendada. En tales casos, se cuenta con una indicación de ingestión dietética diaria estimada segura y adecuada, formulada como una gama. Entre estos minerales y vitaminas figuran la biolina, el ácido pantoténico, el cobre, el manganeso, el fluoruro, el cromo y el molibdeno.

Algunos nutrientes esenciales que antes tuvieron una ingestión dietética diaria estimada segura y adecuada disponen ahora de la indicación de una exigencia mínima estimada. Entre estos elementos se encuentran el potasio, el sodio y los cloruros. La razón que indujo al Consejo de Alimentación y Nutrición a efectuar este cambio fue la de creer que en circunstancias normales no existen deficiencias de estos elementos nutritivos.

¿Cómo se determinan las raciones dietéticas recomendadas?

Aproximadamente cada cinco años una subcomisión del Consejo de Alimentación y Nutrición revisa los textos científicos acerca de un elemento concreto y formula unas recomendaciones.

La subcomisión examina diversos estudios; los realizados sobre personas con dietas de niveles bajos o deficientes de una sustancia nutritiva, seguidos por la corrección del déficit con cantidades precisas de la misma; estudios que miden los niveles en sangre o en tejidos de un nutriente con relación a su ingestión; mediciones bioquímicas de saturación de tejidos o de adecuación de la función molecular respecto de la ingestión de ese elemento nutritivo; investigaciones acerca de dosis tan altas que puedan tener efectos secundarios nocivos, etc.

Parece por tanto que disponen de una información sólida y concreta sobre la que basar sus recomendaciones. ¿Es así?

Eso sería el ideal, pero en realidad falta mucha información, por lo que las raciones dietéticas recomendadas no alcanzan la exactitud que deberían tener.

¿Qué clase de información falta?

Para empezar, escasean los datos sobre las necesidades nutritivas de mujeres y niños. La mayoría de los estudios sobre nutrición han empleado como sujetos a mujeres jóvenes; sin embargo sus resultados se aplican a mujeres de todas las edades, niños y ancianos. Cuando elabora sus recomendaciones, el Consejo de Alimentación y Nutrición considera también los resultados de las encuestas dietéticas, cuestionarios en los que se pregunta a las personas lo que comen. Por desgracia, las encuestas dietéticas son notoriamente inexactas. En realidad, las personas no saben, no recuerdan o no quieren acordarse de lo que comen. Así que incluso los mejores métodos de encuestas dietéticas sólo alcanzan una precisión del 60 %.

¿Para qué se emplean las raciones dietéticas recomendadas?

Se desarrollaron en un principio durante la Segunda Guerra Mundial para asegurar que los soldados no sufrieran deficiencias en la nutrición y luego se adoptaron rápidamente como norma para la población en general.

Ahora las emplean asiduamente las personas que planifican una alimentación y conciben menús con destino a grupos de personas en las fuerzas armadas, las prisiones, los hospitales y las residencias; para interpretar los datos sobre consumo de alimentos; para determinar niveles nutritivos en proyectos benéficos como los cupones de asistencia alimenticia y las campañas de refuerzo nutritivo para determinados grupos de la población; y como base para establecer orientaciones sobre la mención de nutrimentos en los alimentos y en los complejos dietéticos.

No ha dicho nada sobre las raciones dietéticas recomendadas respecto del análisis de una dieta personal. ¿Se interrelacionan de alguna manera?

Las raciones dietéticas recomendadas no fueron establecidas para analizar la dieta de una determinada persona. «Sin embargo, se emplean precisamente con este propósito porque son lo mejor que podemos brindar», ha declarado la doctora Judi S. Morrill, profesora de nutrición en la Universidad estatal de San José en California y autora del libro *Science, Physiology, and Nutrition: A Primer for the Non-Scientist* (Ciencia, fisiología y nutrición: un manual para el profano).

Según Morrill, los dietistas consideran que, en condiciones normales, la mayoría de las personas únicamente precisa para su funcionamiento normal de la ración dietética recomendada de un determinado elemento nutritivo.

De hecho, habitualmente no se considera deficiente a alguien hasta que su ingestión desciende por debajo del 70 % de la ración dietética recomendada.

¿Por qué el Consejo de Alimentación y Nutrición no reduce simplemente las raciones dietéticas recomendadas?

De hecho, es lo que hizo en 1989, en la décima edición de las raciones dietéticas recomendadas.

¿Qué raciones dietéticas recomendadas bajaron y en qué medida?

El ácido fólico, la B_{12}, la tiamina, la riboflavina y la niacina descendieron en algunas categorías. Y para las mujeres se redujeron las recomendaciones de cinc y de hierro. En las de edades comprendidas entre los 11 y los 50 años, por ejemplo, la ración dietética recomendada del hierro pasó de 18 a 15 mg.

Además, la gama de valores para el sodio, el potasio y los cloruros fue reemplazada por una exigencia mínima que es apreciablemente inferior al valor más bajo antes indicado.

¿Por qué se redujeron las raciones dietéticas recomendadas?

Al parecer, según el Consejo de Alimentación y Nutrición, «las raciones dietéticas recomendadas revisadas reflejan la creciente precisión con que se conocen ciertas necesidades de nutrición de la población». Por ejemplo, al establecer la ración dietética recomendada para una vitamina B como el ácido fólico, el Consejo de Alimentación y Nutrición llegó a la conclusión de que «unas dietas con la mitad de la previa ración dietética recomendada mantienen un nivel y unas reservas hepáticas adecuados».

Como resultado, se redujo en un 50 % o más en la mayoría de los grupos de edad la ración dietética recomendada del ácido fólico, que se sabe que desempeña un importante papel en la división celular y en la síntesis proteínica. Poco después de aparecer la décima edición de las raciones dietéticas recomendadas, varios nuevos estudios revelaron que una deficiencia de ácido fólico se hallaba implicada en defectos del tubo neural. Esta información, lógicamente posterior, no está reflejada en las actuales raciones dietéticas recomendadas.

Me parece extraño, pues, si no me equivoco, las investigaciones revelan ahora que cantidades superiores de algunas sustancias nutritivas pueden proporcionar beneficios importantes.

Estás en lo cierto. Sorprende también a muchos especialistas en nutrición. De hecho, tanto las propuestas ingestiones diarias de referencia como las reducidas raciones dietéticas recomendadas han suscitado una gran polémica en este campo: la cuestión de una nutrición *adecuada* frente a una nutrición *óptima*.

Algunos expertos en nutrición reconocen que la mayoría de las personas, pero desde luego no todas, se hallan adecuadamente nutridas. Es decir, no padecen ni siquiera en sus manifestaciones más benignas, las enfermedades causadas por carencia de vitaminas a las que antes nos referimos (escorbuto o beriberi).

Por otro lado, las nuevas investigaciones parecen demostrar que muchas personas no obtienen las cantidades óptimas de algunos nutrimentos, cantidades que no sólo previenen las enfermedades carenciales, sino que también ayudan a proteger contra enfermedades crónicas, que únicamente en fecha reciente se han relacionado con la ingestión de las vitaminas o los minerales. Entre estas afecciones figuran el cáncer, las enfermedades cardíacas y la diabetes, y algunos médicos afirman que en la lista debería hallarse la mayoría de las afecciones. «Estas nuevas investigaciones ponen en tela de juicio teorías y definiciones antiguas —dice un experto—. Las personas aspiran ahora a la longevidad y a una salud óptima, que no son fáciles de definir o medir.»

¿Puede citarme ejemplos de la antinomia entre cantidades adecuadas y óptimas?

De acuerdo, veamos a modo de muestra el caso de la vitamina E. La ración dietética recomendada para esta vitamina es de 15 unidades internacionales, pero las investigaciones indican beneficios adicionales con cantidades muy superiores, unas 300 unidades internacionales o más.

«Nadie diría que se puede morir si no se ingieren diariamente 300 unidades internacionales de vitamina E —explica un especialista en nutrición—, pero estimamos que estos niveles más altos pueden ser ventajosos y, de hecho, proporcionan una variedad de beneficios que ayudan a evitar las enfermedades crónicas y quizá incluso a retardar el envejecimiento.»

¿Se tendrán en cuenta estas nuevas investigaciones a la hora de determinar las raciones dietéticas recomendadas?

Cabe esperar que así sea. El actual Consejo de Alimentación y Nutrición proyecta estudiar la cuestión de si habría que redefinir las raciones dietéticas recomendadas para incluir las enfermedades crónicas además de los síndromes agudos de deficiencia.

«La definición de ingestión óptima —señala la doctora Catherine Woteki, directora ejecutiva del Consejo— exige elaborar todo un nuevo concepto de las raciones dietéticas recomendadas y de otras informaciones oficiales. Necesitamos más datos específicos para proceder en este sentido. Nos enfrentamos con una enorme tarea.»

Entonces ¿qué tengo que hacer ahora? ¿Emplear las actuales raciones dietéticas recomendadas para determinar lo que debo comer?

Considérelas por el momento como el mejor instrumento que hay, y opere con sus puntos débiles y fuertes. Tal vez también desee comprobar cómo actúan respecto de un determinado elemento nutritivo los volúmenes recomendados por los investigadores.

¿Algo más acerca de las raciones dietéticas recomendadas?

Sí. Aunque calculadas para personas con ciertas necesidades especiales, como las mujeres embarazadas y lactantes, no están concebidas para los requerimientos de los enfermos o de quienes padecen dificultades a la hora de absorber por el intestino los nutrientes, como, por ejemplo, los **enfermos de Crohn** o **celíaca**. Además, es posible que las raciones dietéticas no sean adecuadas para atender a las necesidades de los ancianos.

Por otro lado, incluso las nuevas y reducidas raciones dietéticas recomendadas van más allá del mínimo absoluto para la prevención de enfermedades carenciales. Disponen de un margen de seguridad. Es posible, pues, que pueda recibir menos de la ración dietética recomendada de un determinado nutrimento sin que su salud padezca como resultado.

5

ANÁLISIS DIETÉTICO

Supongamos que quiero saber qué cantidad de cada vitamina y mineral obtengo en mi dieta, ¿cómo puedo averiguarlo?

De la misma manera que procede un dietista o nutricionista.

¿Existe alguna diferencia entre esos dos profesionales de la nutrición?

Hay diferencias en formación y en titulación y, posiblemente, en su orientación respecto de la nutrición; todo ello se lo explicaré con mucho gusto más tarde. Vamos a continuar por ahora con el tema del análisis dietético.

De acuerdo; así pues, ¿cómo calcula un dietista o un endocrinólogo las vitaminas y los minerales de mi dieta?

Para empezar, le pedirá que lleve un **diario de alimentación**, donde anote qué come y bebe, cuándo lo toma, cuánta cantidad y cómo ha sido preparado, ¿frito?, ¿al vapor?, ¿untado con manteca de cerdo? Los dietistas y nutricionistas que aconsejan a las personas sobre sus hábitos alimenticios solicitan además información adicional: dónde come, con quién y su talante durante las comidas. Algunos le pedirán que mida las porciones alimenticias; la mayoría, sin embargo, se contentará con estimaciones.

¿Durante cuánto tiempo he de escribir ese diario?

Lo ideal es una semana. Sin embargo resulta aceptable un período de tres días que incluya una jornada de fin de semana y dos laborables. Un período más breve probablemente no reflejará con precisión sus hábitos alimenticios.

BASE DE DATOS DE ELEMENTOS NUTRITIVOS DEL DEPARTAMENTO DE AGRICULTURA DE ESTADOS UNIDOS

¿Cómo utilizan los especialistas ese diario?

El dietista o el nutricionista lo analiza, en muchos casos aplicando uno de los muchos programas informáticos, donde figuran miles de alimentos desintegrados en sus componentes, señalando las cantidades de vitaminas y minerales de cada uno. Una vez introducida la información de su diario en el programa, el ordenador descompone los nutrimentos de su dieta, entre los que están vitaminas y minerales, calorías, proteínas, grasas e hidratos de carbono.

Parece demasiado fácil para ser verdad. ¿Resulta un análisis preciso?

Me satisface que lo pregunte. La mayoría de los programas informáticos se apoyan en la base de datos de elementos nutricionales del Departamento de Agricultura de Estados Unidos, probablemente la fuente más completa del mundo en información sobre la nutrición. Así pues, da lugar a la estimación dietética más precisa que actualmente se puede conseguir, habida cuenta de los problemas existentes en cualquier clase de análisis dietético.

¿Cuáles?

Por ejemplo, la carencia de datos. Puede que resulte fácil determinar la ingestión de calcio o hierro de una persona, pero al llegar al cromo, el cobre o la vitamina K, faltan cifras referentes a muchos alimentos en la base de datos o, de existir, no se consideran precisas. No hay modo de saber en la actualidad cuál es la ingestión individual de algunas sustancias nutritivas, sobre todo de los microelementos minerales.

La falta de datos es más probable en los alimentos elaborados que en los integrales. Así pues, si, por ejemplo, come mucha cantidad de productos congelados y de golosinas, puede que resulte más difícil calcular su ingestión de un determinado elemento nutritivo que si tomara avena molida, manzanas y pollo.

¿Algún otro problema?

La **bioaccesibilidad** o el grado en que usted absorbe una sustancia nutritiva varía mucho con los alimentos y no siempre se tiene en cuenta. Aunque en estos cálculos se toman en consideración los métodos de cocinado, no sucede lo mismo con el tiempo invertido ni con el grado de frescura del producto. Estos factores influyen en la cantidad de vitaminas y minerales de un alimento; algunos nutrimentos son al respecto mucho más sensibles que otros. El ácido fólico, por ejemplo, que figura en las verduras con hojas, puede perder hasta un tercio de su valor al cocerlas. El potasio también desaparece de las verduras cuando cuecen en agua.

Supongamos que quiero utilizar la base de datos de elementos nutritivos del Departamento de Agricultura de Estados Unidos o un programa informático de análisis nutritivo. ¿Cómo he de proceder?

Puede conseguir que se le autorice a emplear la base de datos del Departamento de Agricultura de Estados Unidos desde el centro de enseñanza superior más próximo que disponga de un departamento de nutrición. Otra posibilidad es que un departamento universitario de nutrición le permita acceder a un programa informático que realice análisis dietéticos. Tal vez también desee adquirir la base de datos de elementos nutritivos del Departamento de Agricultura de Estados Unidos o un programa informático apoyado en dicha base de datos. Estos programas se anuncian a menudo en publicaciones sobre nutrición como el *Journal of the American Dietetic Association.* Pero son caros. Uno de los más conocidos, Nutritionist 5, cuesta unos 600 dólares.

¿Y si no dispongo de acceso a un ordenador?

Es posible proceder a la misma desintegración de las sustancias nutritivas de los alimentos mediante unos manuales del Departamento de Agricultura de Estados Unidos, titulados *Composition of Foods.* El más reciente, el número 8, consta de veintidós volúmenes que abarcan millares de alimentos; productos lácteos y de huevo, especias y hierbas, alimentación infantil, grasas y aceites, aves, sopas, salsas, embutidos, fiambre de ternera, cereales para el desayuno, frutas y zumos de frutas, productos del cerdo, verduras y hortalizas, carne de vaca y otros. Consulte en una biblioteca pública o en la de la facultad más próxima.

Según tengo entendido, puedo recibir por correo un análisis informatizado de mi dieta. ¿Es cierto? ¿Cómo se hace? ¿Resulta preciso? ¿Es un procedimiento caro?

Sí, es posible recibir por correo un análisis informatizado de su dieta. Varias empresas y también algunos laboratorios especializados en nutrición ofrecen este servicio.

Primero ha de responder a una llamada encuesta de frecuencia alimentaria. Reviste una forma parecida a la de un test largo y con respuestas múltiples; incluye muchos alimentos y bebidas y le pide que marque la frecuencia con que toma cada uno. Varían los modelos, pero la mayoría le permite señalar cuántas veces al día, la semana o el mes consume, por ejemplo, avena o aceitunas negras.

Los resultados de la encuesta son analizados por un ordenador del mismo modo que un dietista o un nutricionista podría analizar un diario de alimentación. Luego le son remitidos en un listado de ordenador que puede mostrar su promedio y su gama para cada elemento nutritivo y en qué porcentaje se encuentra por arriba o por abajo de la ración dietética recomendada.

¿Estos análisis te ofrecen algún dato más?

Algunos también le muestran la variación de su dieta entre los diversos grupos de alimentos. Por ejemplo, el análisis puede revelarle aproximadamente el promedio diario de porciones que toma de productos lácteos, carnes y cereales, y comparar su ingestión con unas orientaciones dietéticas, para hacerle saber si su dieta excede o no alcanza lo que marquen. Muchos de los estudios vienen acompañados de un «examen de la dieta» o de algún otro material impreso que explica el significado de sus hallazgos y proporciona sugerencias para mejorar, por ejemplo, reducir o agregar a su dieta determinados alimentos o grupos alimenticios.

DIETISTAS Y NUTRICIONISTAS

¿Hasta qué punto difieren estos estudios de los realizados profesionalmente?

Estos estudios son similares a los que puede brindar un dietista o nutricionista y son de la misma clase que los empleados en la investigación, según afirma una dietista titulada. «Se consideran bastante precisos mientras lo sea la información que usted remita.»

Pero tales estudios padecen los mismos problemas que otras formas de estimación dietética. Es posible que carezcan de valores para ciertos alimentos, sobre todo de los elaborados, y para algunos nutrientes, en especial los microelementos minerales.

¿Es necesario consultar a un profesional para entender correctamente un análisis dietético y aprovechar mejor la información que nos proporciona?

A menos que posea algunos conocimientos de nutrición e incluso con la documentación impresa que se le remita, es posible que le sea difícil entender los resultados; según los especialistas, es el momento oportuno de buscar orientación profesional.

Un dietista o nutricionista (o incluso, caso raro, un médico bien informado sobre la nutrición, que conozca su condición y su historial médicos y lo que le preocupa de su salud y que quizá disponga de su análisis de sangre) puede ayudarle a determinar lo que realmente significa esa estimación dietética informatizada y los cambios oportunos que cabe introducir en su dieta como resultado de tales descubrimientos.

¿A quién debo dirigirme? ¿A un dietista, un nutricionista o un médico?

Opte por cualquiera que sea capaz de ayudarle. En realidad lo más probable es que un médico le remita a un dietista o un nutricionista en lugar de encargarse él de orientarle y, de hecho, probablemente es lo mejor que pueden hacer la mayoría de los médicos. Sus conocimientos sobre nutrición suelen ser bastante limitados. Ya diremos más sobre médicos y nutrición en el próximo capítulo.

Entre un dietista y un nutricionista, ¿a quién debo elegir? Le reitero la pregunta que le formulé antes sobre las diferencias entre ambas profesiones.

Cualquiera de ellos puede llamarse nutricionista, tanto si posee una formación especial en nutrición como si no es así. En Estados Unidos, por ejemplo, sólo quienes poseen un diploma de dietética de la American Dietetic Association tienen derecho a llamarse dietistas titulados. Es una denominación que nadie más puede emplear.

Según la American Dietetic Association, para ser dietista titulado es preciso haber completado un primer ciclo de estudios en alimentos, nutrición o dietética en una universidad o centro de enseñanza superior acreditado; realizar un programa de estudio-trabajo o internado (que por lo general dura doce meses o más y siempre ha de ser aprobado por la American Dietetic Association) para obtener una experiencia práctica; aprobar un examen nacional de calificación aplicado por la American Dietetic Association, y mantener la categoría de dietista titulado a través de cursos de formación continuada.

Así pues, ¿debo elegir a un dietista titulado como mi especialista en nutrición?

No necesariamente. Los dietistas se consideran fuentes válidas de información en la especialidad de nutrición, pero muchas autoridades en este campo sostienen que la perspectiva de los dietistas titulados se halla anticuada, demasiado concentrada en los cuatro grupos alimenticios básicos y en la actividad nutritiva en lugar de trabajar más en cuestiones más oportunas como los complementos y la medicina preventiva.

Por lo tanto, no acepte a un profesional sólo por sus credenciales sin formularle antes muchas preguntas.

6

BÚSQUEDA DE UN MÉDICO EXPERTO EN NUTRICIÓN

Mi experiencia me dice que a la mayor parte de los médicos no les interesa la nutrición o saben menos que yo de este tema. ¿Es ésta una opinión de la mayoría de las personas?

Ciertamente parece la queja habitual de los pacientes que acuden a la consulta de médicos tradicionales. «Desde hace unos cincuenta años —dice una doctora, profesora en nutrición— los pacientes se han lamentado de que sus médicos sabían poco o nada acerca de nutrición, y todo el mundo está de acuerdo en que el problema persiste.»

De hecho, una reciente encuesta realizada entre médicos sobre prácticas relacionadas con la nutrición arrojó un resultado decepcionante. Para empezar sólo respondieron el 11 % de los 30.000 profesionales que recibieron los cuestionarios por correo. Es cierto que la mayoría de los encuestados coincidieron en declaraciones positivas acerca de la nutrición: «La dieta tiene un papel importante en la prevención de enfermedades»; «En muchos casos, cabría reducir o eliminar la medicación si los pacientes observasen la dieta recomendada»; y «Durante el reconocimiento del paciente, los médicos deberían dedicar más tiempo a la exploración de sus hábitos dietéticos».

¿En qué estriba pues el problema?

El problema consiste en que, a la hora de llevar a la práctica estas actitudes, la mayoría de los médicos falla, según la encuesta mencionada, realizada por investigadores de la Facultad de Medicina de la Tufts University. Por ejemplo, sólo aproximadamente las dos terceras partes de estos profesionales declararon que de modo habitual trataban de identificar a los pacientes con problemas de nutrición. Y sólo la tercera parte manifestó que aplicaba regularmente investigaciones recientes relacionadas con la nutrición para mejorar la asistencia a sus pacientes. Cuando prescriben dietas sanas, únicamente un 20 % tiene en cuenta los factores del estilo de vida que afectan a los hábitos alimentarios de sus pacientes, como las preferencias culturales y su nivel económico. Y sólo un 20 % aproximadamente les sugiere que recurran a la orientación de dietistas titulados o nutricionistas o les remite a organizaciones que puedan proporcionarles una información sobre nutrición.

¿Por qué hay tantos médicos que carecen de los conocimientos necesarios acerca de la nutrición?

Para empezar, en su formación se insistió poco o nada en la nutrición, pese a que la mayoría de las causas más importantes de muerte se hallan inexplicablemente relacionadas con la dieta: las afecciones cardíacas, las cerebrovasculares, el cáncer, la diabetes del tipo II, la arteriosclerosis y la cirrosis del hígado provocada por el alcohol.

«Los programas de instrucción sobre la nutrición en las facultades de medicina de Estados Unidos —según un informe de la Comisión de Nutrición en la Formación Médica del Consejo Nacional de Investigación— son en buena medida inadecuados para atender a las exigencias presentes y futuras de la profesión.» Ese informe de 1985 señaló que, aunque las facultades dispensan enseñanza sobre la nutrición de una u otra forma, sólo una de cada cinco la proporciona en un curso separado y obligatorio. Por ese motivo, en la mayoría de las facultades la nutrición, como es a menudo característico de los cursos optativos, no tiene la atención necesaria.

¿Hay médicos expertos en nutrición? ¿Cómo puedo contactar con alguno?

Existen, desde luego. Pregunte de la misma manera que lo haría si buscara un nuevo médico, pero formulando preguntas que específicamente se refieran a la nutrición.

Créase o no, preguntar es uno de los mejores medios para localizar a médicos que quizá le interesen. Además de preguntar a amigos y parientes, establezca contacto con nutricionistas y dietistas de su localidad para averiguar con qué médicos operan y cuáles les recomiendan.

Es posible que tenga la fortuna de residir cerca de una facultad con un departamento de medicina preventiva o, más raro aún, con uno de nutrición. De ser así, tal vez pueda hallar a un médico que trabaje con uno u otro de esos grupos y que, cuando resulte apropiado, incorpore a su práctica la nutrición.

¿Algún otro consejo útil?

Pueden proporcionarle pistas personas relacionadas con la sección local de la Arthritis Foundation o de la American Heart Association, con clubes de salud, centros dietéticos e incluso comercios de alimentos dietéticos.

¿Qué clase de preguntas he de formular?

Llame a las consultas de los médicos, explíqueles que es un paciente potencial y plantee las siguientes preguntas:

- Busco a un médico que sepa de nutrición. ¿Proporciona este profesional orientación dietética a sus pacientes?
- ¿Para qué clase de problemas de salud facilita orientación sobre la nutrición? ¿Pérdida de peso? ¿Afecciones cardíacas? ¿Diabetes? ¿Síndrome de fatiga crónica? ¿Depresión?

- ¿Remite regularmente a sus pacientes a un nutricionista o a un dietista? («Es probable que un profesional que de manera regular remita a un nutricionista o un dietista aprecie la importancia de la nutrición —dice una especialista en la materia—. Si un médico declara que no suele enviar a sus pacientes a un nutricionista o un dietista, usted sabrá que no presta atención a las necesidades nutritivas de sus pacientes.»)
- ¿Es un médico titulado en nutrición? En caso negativo, ¿posee una formación especial sobre la materia? ¿Cuánto tiempo duró esa formación y dónde la obtuvo?
- ¿Se halla relacionado con alguna universidad?
- ¿Es miembro de entidades que se ocupan de la nutrición?
- ¿Vende complementos alimenticios en su consulta? (Es cierto que a algunas personas no les agradan los médicos que promueven en sus consultas la venta de compuestos vitamínicos, pero «es algo que no tiene la misma importancia que revestía hace algunos años», dice una experta en nutrición.)

¿Existe alguna determinada especialidad médica cuyos ejercientes sepan mucho sobre nutrición?

Cualquier médico, independientemente de su especialidad, podría tener suficientes conocimientos sobre la materia. Pero en la medicina tradicional o **alopática**, aparte de los endocrinólogos, sólo a los médicos especializados en medicina familiar se les exige seguir cursos de nutrición como parte de su formación residencial tras salir de la facultad. **Internistas**, tocólogos y ginecólogos, al igual que otros especialistas, pueden seguir cursos de nutrición con carácter optativo, pero sus especialidades no les obligan a ello.

La encuesta de la Tufts University descubrió que los médicos que cambian sus propias dietas tienden a expresar las actitudes más positivas acerca de la nutrición y es más probable que éstas se traduzcan en una atención a la dieta del paciente. La encuesta halló también que los licenciados en facultades de medicina de otros países, los médicos relacionados con universidades y los menores de cuarenta y cinco años solían revelar mayor interés por la nutrición que otros facultativos.

Sé que los médicos pueden seguir una formación determinada que les permite ser especialistas en ginecología o cardiología. ¿Existe la misma posibilidad en el campo de la nutrición?

Sí. En la actualidad, en Estados Unidos pueden diplomarse en nutrición en el American Board of Nutrition, que establece normas para la calificación como especialistas en el campo de la nutrición humana y clínica y que aplica unos exámenes. Quien aspire a semejante titulación debe tener un doctorado en medicina o en cualquier otro campo anejo, como la nutrición clínica o la medicina preventiva. Y ha de aprobar los exámenes correspondientes. En la actualidad son unos cuatrocientos los médicos o investigadores titulados en el American Board of Nutrition.

Sin embargo, esta titulación no está aprobada por el American Board of Medical Specialties, un consejo regulador independiente con sede en Chicago que determina las normas de titulación para veinticuatro especialidades médicas. En la actualidad el American Board of Nutrition está desarrollando un programa de titulación destinado a conseguir la aprobación del American Board of Medical Specialties.

Existen otras titulaciones y la posibilidad de afiliarse a organizaciones profesionales, pero ¿es crédito suficiente de la pericia de un médico?

Algunas entidades brindan una afiliación basada en la formación y en la pericia; otras, sin embargo, admiten a cualquiera que pague las cuotas.

Un médico puede pertenecer a un grupo activo en la aplicación clínica de la nutrición, la investigación y la educación, incluyendo la formación continuada en nutrición para facultativos. En Estados Unidos, por ejemplo, entre los grupos que ofrecen afiliación basada en la instrucción y en la pericia figuran la American Society for Clinical Nutrition, el American Institute of Nutrition y el American College of Nutrition.

Hay muchas otras entidades, sociedades y fundaciones orientadas hacia la nutrición, a las que puede pertenecer un médico. Si, como prueba de su pericia, el suyo menciona que está afiliado a una determinada, pregúntele por los requisitos para ser admitido en esa organización. ¿Exige un título superior (maestría o doctorado)? ¿Investigación avanzada? ¿Una actividad clínica sobresaliente? ¿O simplemente el pago de una cuota?

¿Y qué hay de los médicos osteópatas? ¿Saben más de nutrición que los profesionales corrientes?

La opinión parece ser afirmativa, pero no existen estudios que demuestren que tengan una mejor formación en nutrición o que presenten una probabilidad mayor respecto de los médicos alópatas de incorporar esta ciencia a sus prácticas.

¿Qué es exactamente un médico osteópata? ¿En qué se diferencia del alópata?

Un osteópata está especializado en la rama de la medicina conocida como osteopatía, que sostiene la filosofía de que el cuerpo constituye un sistema interrelacionado. Por esta razón, los osteópatas tienden a ser más generalistas en su enfoque asistencial, utilizando las técnicas de diagnóstico disponibles en lugar o además de los análisis de laboratorio y brindando otros tratamientos, amén de los productos farmacéuticos y la cirugía (especialmente la manipulación de huesos, músculos y articulaciones del cuerpo). En su mayor parte, empero, su formación médica y su titulación son las de los restantes facultativos. En Estados Unidos, por ejemplo, hay sólo 28.000 osteópatas mientras que existen unos 500.000 alópatas.

¿Qué otros profesionales pueden brindar orientación en el campo de la nutrición?

Tanto los médicos homeópatas como los naturópatas pueden informar sobre temas de nutrición. Pero no piense que el hecho de que un facultativo prescinda de los productos farmacéuticos —según sucede habitualmente con los homeópatas y los naturópatas— significa que basa más su labor en la nutrición o que esté mejor preparado en esta materia que un médico tradicional.

¿Qué es la homeopatía?

La medicina homeopática sostiene que «lo semejante cura» y que productos farmacéuticos susceptibles de provocar síntomas de afecciones en personas sanas proporcionan la curación a las enfermas. Otro principio básico de la homeopatía es que hay que tratar al conjunto del paciente y no simplemente la enfermedad, y es aquí donde cabe tomar en consideración la dieta de una persona y analizar las sustancias nutritivas de su organismo.

¿Y la naturoterapia?

La naturoterapia es un arte de la medicina que pone especial énfasis en las capacidades naturales de curación del cuerpo humano. Es una terapia sin fármacos que utiliza los masajes, la luz, el calor, el aire y el agua.

Para los naturópatas, el historial médico de una persona es la información más importante a la hora de realizar un diagnóstico, aunque también se ayudan de los análisis de laboratorio y de otras técnicas diagnósticas como los rayos X, los escáneres y los exámenes físicos.

Así pues, ¿qué clase de orientación respecto de la nutrición nos proporcionan los naturópatas?

Los naturópatas consideran la dieta y la nutrición esenciales para una buena salud y orientan a las personas sobre la nutrición adecuada, indicándoles qué comer y qué es necesario evitar. En algunos casos, y en función de la condición del paciente o de sus afecciones, los naturópatas recomiendan el ayuno para desintoxicar el cuerpo antes de comenzar un nuevo régimen de dieta y nutrición.

¿Y si me gusta mi médico actual, pero no sabe lo suficiente sobre nutrición para que pueda convenirme?

¡Dígaselo! Como usuario de la asistencia sanitaria, tiene capacidad para influir en lo que los médicos ofrecen, exigiendo lo que quiere. Es posible que el facultativo que le atiende esté dispuesto a adquirir una instrucción adicional sobre nutrición o que comience a remitir a sus pacientes a un dietista o un nutricionista, si comprende que es lo que desean.

Así que formule preguntas. ¿Qué puedo hacer para evitar la osteoporosis? ¿Qué clase de dieta puede paliar la artritis? ¿Qué vitaminas debo tomar para reducir el riesgo de una afección cardíaca?

Pero ¿no puede recurrir el médico a unos análisis que contribuyan a determinar mi situación nutricional?

Me alegro de que lo haya preguntado. Tendremos mucho que decir al respecto en el próximo capítulo.

7

ANÁLISIS PARA DETERMINAR LA SITUACIÓN EN VITAMINAS Y MINERALES

Recuerdo del capítulo 5 que un análisis dietético puede ayudarme a determinar mi estado nutricional, pero tiene que haber otros medios. ¿Es posible que, a través de un reconocimiento o por análisis, precise un médico cómo absorbo y empleo en mi cuerpo los elementos nutritivos?

Sí. Un facultativo puede recurrir a ciertos métodos para ello. Debe partir de un minucioso historial médico y de un atento reconocimiento que incluya la comprobación de su talla y peso; la condición de su piel, cabellos y uñas; de las membranas mucosas del interior de su boca y de los ojos, lengua y encías. Todas estas partes del cuerpo pueden proporcionar indicaciones sobre su salud.

¿Qué clase de indicaciones?

Una lengua de un rojo brillante, por ejemplo, es signo de deficiencia de riboflavina o de hierro; la piel áspera, condición denominada hiperqueratosis folicular, puede ser debida a una falta de vitamina A, E o del complejo B; grietas en las comisuras de la boca son indicio en ocasiones de una deficiencia de riboflavina, unas uñas acucharadas denotan niveles muy bajos de hierro.

¿He de padecer una grave deficiencia de algún elemento nutritivo para que los signos sean tan evidentes?

No siempre. Un buen historial y un reconocimiento bien efectuado por alguien con preparación para detectar insuficiencias marginales pueden proporcionar importantes indicios para un diagnóstico, según aseguran los expertos. Pero, asimismo, advierten que no debe esperarse que a primera vista un médico sepa cuál es la situación respecto de los elementos nutritivos de un paciente. «El médico de cabecera no se halla familiarizado con esas clases de síntomas y no las identificará.»

Los facultativos que han incorporado la nutrición a sus prácticas se basan, sin embargo, para establecer su diagnóstico en las observaciones a primera vista, junto con los análisis dietéticos, el historial y ciertos reconocimientos.

¿Qué clase de análisis de laboratorio puede efectuar un médico para determinar el estado del organismo respecto de los elementos nutritivos?

Depende en parte de lo que encuentre en otros aspectos del reconocimiento. Hay diferentes tipos de análisis: sangre y orina, así como de cabellos e incluso de saliva. Estos análisis son diversos y pueden ser causa de confusión tanto para los médicos como para los pacientes. Los expertos no siempre están de acuerdo a la hora de determinar qué análisis indica mejor la situación de una determinada sustancia nutritiva o de lo que significan sus resultados. Y a veces un médico prescribe un análisis, no porque sea el más exacto para precisar la situación del paciente respecto de un nutrimento específico, sino porque es el único inmediatamente disponible.

ANÁLISIS DE SANGRE

¿Cómo ayudan los análisis de sangre a determinar la situación del organismo en lo que se refiere a vitaminas o minerales?

Estos análisis miden las vitaminas o los minerales en el suero (o plasma), el líquido transparente que se separa de la sangre al coagularse ésta; en las células sanguíneas, como los glóbulos rojos o blancos; o conjuntamente en el suero y las células, junto con cualesquiera partículas halladas en la sangre.

Cabe clasificar en dos grupos los análisis de sangre: los de detección y los llamados funcionales. Los primeros miden directamente la cantidad de una vitamina o mineral en la sangre. Pueden descubrir deficiencias graves, pero a menudo pasan por alto otras menos serias que, sin embargo, pueden ser causa de síntomas físicos o mentales. Los análisis de detección suelen ser los únicos que prescribe un médico tradicional, si es que solicita alguno para determinar el estado de nutrición del paciente.

¿Qué son los análisis funcionales?

Son más sensibles que los de detección a las deficiencias nutritivas marginales. Determinan indirectamente los niveles de las vitaminas y los minerales, midiendo la actividad enzimática o metabólica en células asociadas con una vitamina o mineral.

¿Puede darme algunos ejemplos de los tipos de análisis de sangre a que se refiere?

El hierro constituye una buena muestra, porque es frecuente y exactamente medido. El nivel y estado del hierro en el organismo pueden ser determinados de varias maneras y la mayoría de los médicos creen que el empleo de diversas mediciones proporciona una estimación más precisa que el de una sola.

Los primeros (y más fáciles) análisis habitualmente realizados son los de **hemoglobina**, que mide el volumen de hierro en los glóbulos rojos de la sangre, y el valor hematocrítico, que simplemente indica la proporción de glóbulos rojos respecto del suero. Si estas medidas resultan ser bajas, el médico puede realizar entonces tres pruebas más para determinar la causa de una deficiencia: un análisis total del hierro que determine la cantidad que circula en la sangre; un análisis de ferritina que indique los depósitos de hierro en la sangre y detecte si han descendido; y un análisis de transferrina o de capacidad total de combinación del hierro que mida su transporte proteínico desde el hígado u otros lugares del cuerpo hasta los sitios en los que se precise.

¿Se miden otros minerales con idéntica precisión?

No. Muchos de los análisis que se suelen emplear para medir el volumen de otros minerales frecuentemente no son muy sensibles a los cambios en la situación del cuerpo.

Veamos, por ejemplo, el caso del cinc. Cabe medir de diversos modos la cantidad de este mineral en el organismo, precisando incluso los niveles de cinc en el plasma o en los glóbulos rojos y blancos. «Pero en una reciente conferencia —dice un especialista— los investigadores del cinc llegaron a la conclusión de que no existe un modo satisfactorio de medir su situación. El análisis de cinc en plasma es el más fácil y accesible, pero constituye una tarea ardua identificar por este procedimiento una deficiencia que no sea seria. Un déficit moderado arrojaría en este análisis resultados normales. Asimismo determinar el nivel del cinc en glóbulos rojos y blancos también presenta problemas.»

¿Y otros elementos nutricionales?

El calcio y el magnesio se miden a menudo utilizando el nivel de ambas sustancias en el suero, pero muchos médicos que se interesan por la nutrición estiman que éste es un modo ineficaz de determinar el estado del calcio o el magnesio en el organismo, puesto que el cuerpo regula cuidadosamente los niveles de estos dos elementos en el suero, si es necesario privando de calcio a los huesos para mantener una cantidad adecuada en la sangre.

Un estudio mostró que los niveles de magnesio en el suero pueden ser normales incluso cuando el contenido en los tejidos sea tan bajo como para provocar arritmias cardíacas.

¿Los análisis de detección de vitaminas son más sensibles a los pequeños cambios en la situación del cuerpo que la mayoría de los análisis de detección de minerales?

Unos sí y otros no. Como sucede con los minerales, depende del análisis. Se consideran más precisos los análisis funcionales que los generales de determinación.

Parece, pues, que no siempre podré contar con análisis de laboratorio para saber cuál es la situación de mi organismo respecto de las sustancias nutritivas. ¿Es así?

Desgraciadamente, sí. Por esta razón, la mayoría de los médicos se basan en diversos hallazgos del diagnóstico, entre los que también se cuentan los análisis de laboratorio, para determinar el nivel y estado de los nutrientes en el cuerpo humano.

ANÁLISIS DE ORINA

¿Qué datos pueden aportar los análisis de orina sobre el estado de nutrición de mi cuerpo?

La orina contiene materiales de desecho eliminados de la sangre por los riñones. Un litro de orina es el resultado final del paso por los riñones de más de mil litros de sangre.

El análisis de orina se suele utilizar para detectar el azúcar o glucosa. Un nivel elevado de glucosa en la orina puede significar diabetes. También se miden los niveles proteínicos. Grandes cantidades de proteínas son indicios de problemas renales. Estos análisis no revelan, empero, la situación en lo que atañe a las vitaminas o los minerales.

¿Qué análisis de orina miden las vitaminas y los minerales?

Menos corrientemente, se analiza la orina para detectar subproductos o metabolitos de ciertas vitaminas. Las anormalidades pueden significar un problema en el metabolismo del cuerpo que estriba en su capacidad de quemar hidratos de carbono o grasas. Los niveles anormales de metabolitos en la orina pueden estar relacionados con deficiencias vitamínicas.

El análisis de orina se aplica en ocasiones para medir

los niveles de los minerales, como el calcio o el potasio. Mas, por lo general, estos análisis sólo se llevan a cabo en entornos de investigación.

Existen otros análisis de orina que proporcionan cierta información sobre el estado de nutrición de una persona, exposición a metales tóxicos y metabolismo. Pero muchas de estas pruebas resultan menos sensibles que las realizadas con la sangre y puede que sólo se empleen para corroborar los hallazgos de estas últimas.

ANÁLISIS DE CABELLOS

¿Es posible que los análisis de cabellos revelen algo acerca de la situación de mi organismo en lo que respecta a las vitaminas y los minerales?

La mayoría de los profesionales de la nutrición no consideran el análisis del cabello como un buen indicador. Una razón es que su crecimiento tiende a menguar en las personas verdaderamente mal nutridas, aumentando la concentración de minerales en el pelo mientras bajan las reservas del cuerpo. Además el cabello puede estar contaminado por los champús, tintes e incluso por el metal de las tijeras empleadas para cortarlo.

¿O sea que los médicos, incluso los especializados en nutrición, no prescriben esta clase de análisis?

Algunos siguen empleándolo y lo consideran útil.

De hecho, el cabello puede denotar una exposición a metales pesados a lo largo de un período de tiempo, sobre todo son especialmente sensibles a la acción del arsénico, el plomo, el mercurio, el cadmio y el aluminio.

¿Cuándo se considera apropiado un análisis para detectar la exposición a un metal pesado?

La respuesta es que depende del facultativo. Algunos creen que actualmente muchas personas corren el riesgo potencial de una exposición a toxinas a través de la contaminación del aire, el agua o el suelo, cañerías de cobre soldadas con plomo o insecticidas y herbicidas. Otros consideran que las únicas personas que viven un peligro suficiente que justifique análisis de esta clase son las que han sufrido exposiciones conocidas como las que pueden ocurrir en el trabajo, por vertidos accidentales o pozos contaminados.

¿Qué hace un médico con los resultados de un análisis del cabello?

Aunque el propio análisis se preste a polémica —si realizarlo o no—, los expertos en nutrición coinciden en una cuestión: todos los descubrimientos de un análisis del cabello concernientes a deficiencias vitamínicas y minerales o a toxicidades tienen que ser confirmados con otros análisis (de sangre, por ejemplo) antes de formular unas recomendaciones para el tratamiento.

ANÁLISIS DE SALIVA

¿Cuándo se analizará la saliva?

El análisis de saliva no es una prueba habitual, pero la emplean algunos investigadores para precisar la situación en lo que se refiere al cinc, el cobre y el magnesio, según afirma un especialista.

Para conocer el estado del cinc en el organismo de una persona se analiza, entre otras cosas, la saliva, a fin de determinar el nivel de gustina, una enzima dependiente del cinc que influye en el desarrollo de las papilas gustativas. Los niveles de gustina descienden cuando alguien padece una deficiencia de cinc. Asimismo pueden bajar en el caso de una anormalidad en el metabolismo de ese mineral, problema que resulta difícil de medir por otros medios. Uno de los responsables de un centro de nutrición molecular y alteraciones sensoriales señala: «Realizamos este análisis, al igual que algunos otros centros. Pero no se considera estrictamente un método de investigación.»

Parece que existen bastantes probabilidades de que mi médico prescriba un análisis que no me sirva de mucho o, peor aún, que proporcione una información equívoca. ¿Es así?

Todo depende del facultativo y de la razón por la que desee llevar a cabo un determinado análisis.

Indudablemente, usted quiere asegurarse de que su médico prescriba los análisis de un modo lógico y progresivo. Y por eso siempre es una buena idea hacerle alguna preguntas acerca de cualquier prueba que prescriba. ¿Por qué encarga este análisis? ¿Qué espera encontrar? ¿Qué grado de precisión tiene? ¿Qué proyecta hacer con sus resultados? ¿Qué probabilidades hay de que, a consecuencia de esta prueba, reciba un diagnóstico o un tratamiento erróneos? ¿Cuánto cuesta? ¿Tendré que pagarlo o lo cubre mi seguro médico? Y si no me someto a ese análisis, se perderá un elemento potencialmente importante de información concerniente a mi diagnóstico? ¿Cambiará el curso de mi tratamiento?

Solicite una copia del análisis para leerlo cuando revise los resultados con su médico. Pregúntele lo que significa esa prueba en términos de su condición o de los factores de riesgo de una enfermedad.

8

VITAMINAS

Vitamina A y caroteno beta

¿Qué es la vitamina A?

Es un aceite de color claro amarillento y una de las cuatro vitaminas solubles en grasas, junto con la D, la E y la K. Eso significa que se disuelve en solventes orgánicos como el éter o en un fluido detergente, y que en el cuerpo es absorbida y transportada de un modo similar al de las grasas. Si se tienen problemas a la hora de absorber grasas por el intestino, existe un riesgo superior al normal de llegar a padecer una deficiencia de vitamina A.

¿El hecho de ser una sustancia soluble en grasa significa que la vitamina A se encuentra en los alimentos que contienen lípidos?

Sí. La vitamina A se presenta de un modo natural sólo en alimentos de origen animal, como el hígado, que es su lugar de almacenamiento tanto en animales como en seres humanos, algunos mariscos, manteca, leche entera, y la yema de huevo. Esta forma de vitamina A recibe habitualmente el nombre de vitamina A preformada o retinol. También se añade retinol a la leche desnatada y desgrasada. Una fuente especialmente rica de vitamina A, el aceite de hígado de bacalao, se emplea a veces para elaborar complementos de vitamina A.

Entonces ¿por qué se puede encontrar la vitamina A en las zanahorias cuando es un alimento que apenas tiene grasa?

Buena pregunta. En realidad las zanahorias no tienen vitamina A, pero, como otras hortalizas y frutas anaranjadas y amarillas y hortalizas con hojas de color verde oscuro, contienen ciertas sustancias llamadas **carotenoides** que el cuerpo puede convertir en vitamina A.

De los carotenoides se dice que son **provitaminas** o que tienen actividad provitamina A. La provitamina más conocida es el caroteno beta, que no posee necesariamente la mayor actividad en vitamina A de todos los carotenoides pero que abunda en muchos alimentos.

¿Cuál es la ración dietética recomendada para la vitamina A?

Mil equivalentes de retinol (5.000 unidades internacionales) para los hombres y 800 equivalentes de retinol (4.000 unidades internacionales) para las mujeres.

Una vez más, ¿qué es un equivalente de retinol?

Se trata de una unidad arbitraria de medida que permite comparar y determinar la cantidad de las diferentes formas de vitamina A, con diversos niveles de actividad biológica en el cuerpo. Un equivalente de retinol es igual a un microgramo de retinol o a 6 microgramos de caroteno beta.

¿Qué cantidad de vitamina A obtienen realmente las personas?

Los estudios revelan que, en general, los seres humanos parecen conseguir suficiente vitamina A, aunque la mayoría sea como vitamina A preformada, no caroteno beta. Según una investigación, el promedio de ingestión es de 5.440 unidades internacionales al día.

¿Hay problemas de toxicidad? ¿Cuáles son?

Como es soluble en grasas y puede quedar almacenada en el hígado durante largos períodos de tiempo, se considera que la vitamina A presenta un potencial bastante alto de toxicidad. Para que comiencen a surgir indicios de ésta en la mayoría de los adultos, parece necesario tomar una gran dosis (en forma de complemento) de 250.000 a 300.000 unidades internacionales o varias cantidades de unas 50.000 unidades internacionales durante mucho tiempo.

Pero algunos individuos parecen manifestar ciertos síntomas de toxicidad con dosis diarias de incluso 25.000 unidades internacionales. Entre tales indicios figuran el dolor de huesos y articulaciones, pérdida de cabello, sequedad de la piel, picores y escamas, debilidad y fatiga. Pueden incluir también otros síntomas como dolores de cabeza y dificultades de visión. Cuando se interrumpe la dosis excesiva, se invierten por lo común los síntomas sin daño permanente.

Si se toma caroteno beta en grandes cantidades, ¿puede ser tóxico?

No. El caroteno beta no presenta problemas de toxicidad, aunque se ingiera en niveles extremadamente elevados, ya procedan éstos de los alimentos o de complementos vitamínicos.

¿Qué hace exactamente la vitamina A?

La vitamina A resulta esencial para la salud humana. Su deficiencia puede determinar ceguera nocturna y otras perturbaciones visuales, disminución de la resistencia a las infecciones, deficiente desarrollo de la dentadura, mengua del crecimiento y problemas de fertilidad.

Un nivel bajo de la vitamina A causa también un debilitamiento de las células epiteliales, que cubren las superficies internas y externas del cuerpo, entre las que cabe destacar los vasos sanguíneos, así como otras pequeñas cavidades. Las células epiteliales se encuentran en la piel, los pulmones, los dientes en desarrollo, el oído interno, la córnea, las gónadas, las glándulas y sus conductos, las encías, la parte frontal de las lentes oculares, el área sensorial de la nariz, el cuello del útero, etc. La vitamina A ha de estar presente para que estas células se diferencien y pasen del estado inmaduro al maduro. Si no maduran por culpa de una deficiencia de vitamina A, el resultado es a menudo una alteración de la piel y de las membranas mucosas, que parecen hallarse en una situación precancerosa y que, en unas condiciones precisas, puede suscitar el cáncer. Los tejidos epiteliales debilitados abren también camino a una variedad de infecciones.

¿Cómo sabré si es escasa mi dotación de vitamina A?

Entre los signos de deficiencia de vitamina A figuran la ceguera nocturna o adaptación defectuosa de los ojos a la oscuridad; una falta de secreciones mucosas normales, como puede ser la sequedad de ojos y boca; susceptibilidad a la infección como en la sinusitis o en las afecciones de garganta; xeroftalmía, condición ocular caracterizada por la hinchazón de los párpados y por secreciones pegajosas de los ojos; y otra situación denominada hiperqueratosis folicular, donde la piel cobra una apariencia áspera. Estudios recientes han advertido dificultades de audición en personas con un déficit de vitamina A.

¿Posee el caroteno beta algún efecto que sea diferente del de la vitamina A?

Aunque el caroteno beta no se considere propiamente una vitamina, parece ejercer en el cuerpo una actividad independiente de su conversión en vitamina A y en buena parte girar en torno de la prevención del cáncer y de la protección contra las afecciones cardíacas. Por eso los investigadores distinguen ahora el caroteno beta de la vitamina A preformada.

¿Cómo llegaron a determinar que existía una diferencia entre ambos?

Los estudios llevados a cabo a lo largo de los años parecen indicar que quienes obtienen mucha vitamina A de las plantas en forma de carotenoides presentan un riesgo menor de padecer cáncer de pulmón, del cuello del útero y tracto gastrointestinal, mientras que las personas que reciban la mayor parte de la vitamina A de alimentos de origen animal no se hallan protegidas. En investigaciones sobre animales, el caroteno beta ha proporcionado defensa contra el cáncer suscitado químicamente o por radiaciones. Y en los estudios sobre seres humanos también parece brindar cierta protección.

Y respecto de las afecciones cardíacas, ¿el caroteno beta proporciona alguna protección?

Recientes investigaciones así lo demuestran.

Un estudio sobre la salud de los médicos, una investigación a largo plazo sobre 22.000 facultativos varones, descubrió que entre 333 individuos de este grupo que ya presentaban síntomas de una afección cardiovascular, quienes tomaron complementos de caroteno beta a lo largo de más de seis años registraron la mitad de ataques de apoplejía y cardíacos, paros súbitos del corazón o intervenciones quirúrgicas para despejar o aplicar un *bypass* a arterias coronarias obstruidas que los que tomaron placebos. En el estudio, los primeros recibieron diariamente 50 miligramos de caroteno beta (equivalentes a 83.720 unidades internacionales).

¿Existen estudios como el anterior sobre mujeres?

Me complace que lo pregunte. Los mismos investigadores realizaron un gran estudio con un colectivo de enfermeras y descubrieron que las que tomaban grandes cantidades de frutas y verduras ricas en caroteno beta presentaban una reducción del 22 % en el riesgo de ataque cardíaco y de un 40 % en el de apoplejía en comparación con otras mujeres que ingerían pocos alimentos de esta clase. El grupo bajo en caroteno beta recibía una cantidad inferior a 6 miligramos diarios, la correspondiente a menos de la mitad de una zanahoria. El grupo de ingestión alta obtenía más de 15 o 20 miligramos diarios, de una a dos en la escala de las zanahorias. Así que la diferencia entre los dos grupos era sólo de 10 a 15 miligramos, aproximadamente la cantidad hallada en una porción de frutas o verduras ricas en caroteno beta.

¿Cómo dispensa el caroteno beta protección contra el cáncer y las enfermedades cardíacas?

Al igual que las vitaminas C y E, el caroteno beta actúa como un antioxidante, pero de una manera verdaderamente peculiar.

Aguarde un minuto. Sé que lo explicó antes, pero necesito que me refresque la memoria. ¿Qué es exactamente un antioxidante?

Una molécula que contribuye a limitar una reacción oxidante neutralizando radicales libres.

¿Puede dar una explicación más detallada?

En nuestro cuerpo se dan constantemente reacciones oxidantes, aquellas en que interviene el oxígeno. Permiten, por ejemplo, generar energía. Además, las reacciones oxidantes enrancian la manteca, recubren las verjas de hierro de una capa de herrumbre y hacen que un pedazo de manzana adquiera una tonalidad parda.

Aunque necesarias en el cuerpo, estas reacciones son potencialmente nocivas. Forman sustancias muy reactivas y molecularmente desequilibradas denominadas radicales libres, que carecen de electrones y tratan de apropiarse de los de otras moléculas para recobrar su equilibrio. La molécula víctima de este efecto se convierte a su vez en un radical libre, con lo que se inicia una reacción en cadena de radicales libres que se multiplican y oxidan con gran celeridad una gran cantidad de células.

¿Quiere decir que las reacciones oxidantes en cadena pueden dañar las células?

Sí. Las reacciones oxidantes, explica un especialista en este campo afectan a las membranas celulares exteriores de grasa, debilitando la capacidad de las moléculas para entrar y salir de las células. «Esto significa que la célula no consigue operar bien o que, si el daño es suficientemente grande, se muere.»

Los radicales libres que penetran en una célula pueden afectar a su material genético, el ADN, provocando mutaciones susceptibles de conducir al cáncer. Los radicales libres, según declara el responsable de un centro de investigación sobre la nutrición humana en el envejecimiento, también pueden dañar la fuente energética de la célula, las mitocondrias, destruyendo la capacidad de producción de energía necesaria para el funcionamiento celular.

¿Así que los antioxidantes como el caroteno beta y las vitaminas E y C contribuyen a limitar las reacciones oxidantes en cadena?

Sí. Estas sustancias ayudan a detener esas reacciones, brindando uno de sus electrones a los radicales libres y, de este modo, neutralizándolos. Los antioxidantes no se convierten entonces en radicales libres, simplemente se vuelven inactivos.

De acuerdo. El caroteno beta y las vitaminas E y C contribuyen, pues, a limitar el daño que pueden causar a la célula las reacciones oxidantes, pero ¿qué significa esto en términos de salud y de prevención de las enfermedades?

Significa que, en cualquier parte del cuerpo donde las reacciones oxidantes contribuyan a un proceso patológico, estos elementos nutritivos ayudan a prevenir o a limitar esa enfermedad.

¿Puede darme algunos ejemplos?

Examinemos el caso de los ojos. Las lentes oculares se hallan expuestas a la acción oxidante de la luz solar. Ésta puede suscitar cataratas, una condición donde la lente normalmente clara de un ojo adopta un color blanco lechoso y se vuelve opaca. Con incidencia en todo el mundo, las cataratas aparecen a una edad avanzada y es una de las causas más comunes de ceguera. Según investigaciones hechas con animales y otras realizadas con seres humanos, los elementos nutritivos antioxidantes contribuyen a la prevención de cataratas. Actúan protegiendo a las proteínas de la lente del daño oxidante de la luz solar. En uno de los estudios, cantidades adicionales de vitamina E o C redujeron en un 30 % la incidencia de las cataratas.

Los pulmones resultan también vulnerables al daño oxidante de contaminantes del aire como el ozono y el bióxido de nitrógeno. Las investigaciones realizadas con animales revelan que niveles bajos de vitamina E y de otros antioxidantes incrementan el daño de la contaminación en los pulmones, mientras que unos niveles elevados de vitaminas E y C y de caroteno beta contribuyen a protegerlos.

Parece pues que hay pruebas realmente sólidas de la acción de estas sustancias contra el cáncer.

Digamos que los investigadores se muestran atraídos por el tema, pero, hasta que no dispongan de los resultados de diversas pruebas clínicas actualmente en desarrollo, no podrán dejar zanjado el caso. Dos estudios no han hallado relación evidente y uno, el realizado por Walter Willet, un conocido investigador de la Universidad de Harvard, no encontró asociación entre niveles de carotenoides en la sangre y el riesgo de cáncer durante cinco años.

Aun así, los investigadores recomiendan tomar gran cantidad de frutas y verduras e incluir entre éstas las que contengan caroteno beta. Los estudios demográficos revelan los beneficios de tomar diariamente al menos cinco porciones de frutas y verduras, aunque las investigaciones aún no hayan determinado de modo concluyente si quien brinda protección es el caroteno beta de estos alimentos o algún otro componente.

¿Existen más carotenoides que ayuden a prevenir el cáncer?

Sí. Se sabe que, además del caroteno beta, otros carotenoides actúan como antioxidantes, aunque no hayan sido objeto de un examen tan atento como el que ha merecido dicha sustancia. Se ignora el grado exacto en que dispensan una protección.

Entre esos carotenoides figuran la luteína, la xantofila, la criptoxantina beta, el licopeno, el caroteno alfa y otros. Los estudios realizados con cultivos de células y con animales muestran que estos carotenoides pueden proteger contra el cáncer.

¿Desempeña algún papel en la prevención del cáncer la sustancia llamada retinol, a la que antes denominó vitamina A preformada?

La mayoría de los estudios dietéticos que han buscado una asociación entre el retinol y el cáncer no la han encontrado.

En una investigación se descubrió que las personas con dietas de ingestión elevada de alimentos con retinol parecían tener un riesgo acrecido de cáncer, pero lo más probable es que fuese debido al alto contenido en grasas de los alimentos —huevos, mantecas, nata agria—, más que a la vitamina A.

¿Es cierto que algunos productos contra el acné están basados en la vitamina A? Tengo entendido que se han empleado también en el tratamiento contra el cáncer. ¿Es cierto?

Existen dos clases de productos contra el acné elaborados a partir de derivados de la vitamina A. Ambos poseen estructuras similares. Uno es el Retin-A (tretinoína) , un gel de aplicación local empleado en el tratamiento del acné, contra las arrugas y una condición dérmica potencialmente precancerosa denominada queratosis actínica.

El otro medicamento es Accutane (isotretinoína), un producto administrado oralmente en cápsulas de gelatina. Se emplea en el tratamiento de los casos serios de acné.

Accutane —pero no el Retin-A— ha sido utilizado de modo experimental para invertir cambios potencialmente precancerosos en las células del revestimiento interno de la boca, condición denominada leucoplasia oral. En Estados Unidos, por ejemplo, llegan a padecerla alrededor del 8 % de los norteamericanos, principalmente fumadores. De no ser atendida, entre un 5 y un 15 % concluye en cáncer de boca. El tratamiento habitual de la leucoplasia es quirúrgico, pero quizá no sea posible cuando la afección se ha extendido a grandes áreas de la cavidad bucal.

¿Ha tenido éxito el tratamiento con Accutane?

Revela ciertamente algunas posibilidades. En un estudio, investigadores del Anderson Cancer Center de la Universidad de Texas, en Houston, administraron grandes dosis de Accutane a setenta enfermos de leucoplasia. Al cabo de tres meses asignaron una dosis inferior de mantenimiento a 24 de los 53 pacientes que habían respondido bien al tratamiento, mientras el resto recibió caroteno beta. Tras nueve meses, los investigadores descubrieron que sólo había empeorado la condición de dos enfermos que seguían recibiendo el producto (8 %). Pero 16 (55 %) de los pacientes que tomaban caroteno beta experimentaron un agravamiento.

Parece interesante. ¿Existen sin embargo efectos secundarios asociados con el Accutane?

Sí. Sequedad de ojos y boca, dolores de cabeza y depresión son síntomas corrientes entre las personas que toman grandes dosis. Por ese motivo algunos investigadores consideran que debería reservarse su empleo a los casos serios de leucoplasia o a los que ya padecían cáncer de boca. Se ignora el porcentaje preciso de pacientes curados de su leucoplasia después de un tratamiento con Accutane durante varios meses. La mayoría de las personas no pueden tomarlo en grandes dosis durante más de un año aproximadamente, pero, según un especialista, es posible que dosis más reducidas de mantenimiento resulten eficaces y con menores efectos secundarios.

Antes de seguir adelante, hemos de mencionar que se han probado grandes dosis de caroteno beta contra la leucoplasia oral, pero que no parece tener tanta eficacia como el Accutane en el tratamiento de esta condición. Aun así, y dado que carece de efectos secundarios, algunos investigadores todavía confían en demostrar que posee cierta utilidad.

¿Es preciso tomar una cierta cantidad de caroteno beta?

No hay ración dietética recomendada para el caroteno beta. Para alcanzar la ración dietética recomendada de vitamina A, se debe recibir unos 6 miligramos diarios de caroteno beta.

¿Cuánto caroteno beta se toma diariamente?

Las encuestas dietéticas revelan que del caroteno beta procede cerca del 25 % de la ración dietética recomendada para la vitamina A, lo que significa que se recibe alrededor de 1,5 miligramos de caroteno beta al día, cantidad muy pequeña y en modo alguno próxima a los 15 o 20 miligramos que según los estudios demográficos reducen el riesgo de cáncer y de otras enfermedades.

Se dice que la piel puede adoptar un tinte anaranjado si se comen muchas zanahorias o si se toma demasiado caroteno beta como complemento. ¿Es cierto?

Sí. Es posible que su piel adquiera un color amarillento anaranjado si toma diariamente más de 30 miligramos de caroteno beta. Pero esta condición es inocua y desaparece al reducir el consumo de esta sustancia.

¿Necesita alguien cantidades de vitamina A superiores a la ración dietética recomendada?

Algunas personas pueden requerir más. Las personas con problemas de absorción tal vez necesiten cantidades superiores de esta vitamina, quizá sea también éste el caso de los que se recuperan de grandes quemaduras.

VITAMINA A Y CAROTENO BETA
Prontuario

Ración dietética recomendada

Para varones, 1.000 equivalentes de retinol (5.000 unidades internacionales); para mujeres, 800 equivalentes de retinol (4.000 unidades internacionales).

Fuentes

Aceite de hígado de bacalao, hígado de vaca, ostras, manteca, leche entera, yemas de huevo y vegetales anaranjados y verdes con hojas, como zanahorias, batatas, nueces maceradas de nogal ceniciento, mangos, albaricoques, espinacas, grelos, chayotes, brécol y lechuga romana.

Signos de deficiencia

Ceguera nocturna, sequedad de ojos y boca, propensión a las infecciones, hinchazón de párpados y secreciones pegajosas de los ojos, aspereza de la piel.

Posibles problemas de toxicidad

Una sola gran dosis de 250.000-300.000 unidades internacionales o diversas de 50.000 durante largos períodos de tiempo pueden ser causa de síntomas de toxicidad, como dolores de huesos y articulaciones, caída del cabello, sequedad de la piel, picores y escamas, debilidad, jaquecas y problemas de la visión.

Vitaminas del complejo B

Las vitaminas B_6, B_{12}, ácido fólico, niacina, tiamina, biotina, ácido pantoténico y riboflavina son parte del grupo conocido como complejo B. Estas sustancias fueron agrupadas en un principio porque se encontraban en el hígado y en la levadura de cerveza (que se vende en comercios de productos dietéticos y es del mismo tipo que la utilizada para la fermentación de la cerveza y otras bebidas alcohólicas) y se creyó que eran una sola vitamina. Con el tiempo, sin embargo, se advirtió que variaban por su estructura.

Estas vitaminas poseen muchas características en común. Todas son solubles en el agua y esenciales para que el cuerpo aproveche la energía de los alimentos y para la producción normal de tejidos.

VITAMINA B_6

¿Qué es la vitamina B_6?

La B_6 —una vitamina del complejo B soluble en el agua, como acabamos de señalar— se presenta en tres formas químicamente relacionadas. La más corriente, piridoxina, se emplea en complementos vitamínicos y en alimentos fortalecidos.

¿En qué alimentos se encuentra la vitamina B_6?

La mayoría de los alimentos contienen esta vitamina. Las fuentes más ricas son el pollo, el pescado, el hígado, los riñones, la carne de cerdo y los huevos. Asimismo se halla en niveles bastante altos en el arroz integral, las semillas de soja, la avena, los productos de trigo integral, cacahuetes y nueces.

¿Cuál es exactamente el papel que desempeña la vitamina B_6 en el cuerpo?

Como la mayoría de las demás vitaminas del complejo B, la B_6 actúa en la obtención de energía de los alimentos, proceso denominado metabolismo. Ayuda a convertir las calorías que tomamos como hidratos de carbono en energía utilizable, a través de complejas reacciones químicas en las que interviene el oxígeno. Sin una fuente dietética de B_6, resultaría incompleto el metabolismo de los hidratos de carbono y se constituirían en la sangre niveles tóxicos de compuestos, considerados causa importante de los síntomas de deficiencia vitamínica.

Se precisa la vitamina B_6 para el funcionamiento adecuado de más de sesenta enzimas. En el hígado, los glóbulos rojos de la sangre y otros tejidos se transforman en elementos bioquímicos necesarios para el metabolismo. Asimismo resulta esencial para que el cuerpo elabore **ácido nucleico**, constituyente genético de todas las células.

La vitamina B_6 desempeña un papel en la multiplicación celular, que incluye la de los glóbulos rojos y las células del sistema inmunológico. Su deficiencia puede ser causa de anemia y de una mengua de la resistencia a la infección.

¿Ejerce algún papel la vitamina B_6 en la prevención del cáncer?

Es posible, tanto a través de sus efectos en la función inmunológica como en la adecuada multiplicación celular. Se han detectado niveles bajos de B_6 en la sangre de personas con cáncer de mama y la enfermedad de Hodgkin (un cáncer de las glándulas linfáticas). Y los animales privados de vitamina B_6 parecen ser más vulnerables a los tumores malignos inducidos por virus.

¿Tiene algunas otras misiones importantes?

La vitamina B_6 influye además en el sistema nervioso, mediante su efecto en minerales y neurotransmisores, los mensajeros del sistema nervioso central. Esta sustancia es necesaria para que el cuerpo elabore serotonina, un importante neurotransmisor cerebral con numerosas funciones fisiológicas, a partir del triptófano, un constituyente de la proteína.

La concentración de la vitamina B_6 en el cerebro supera de veinticinco a cincuenta veces la que existe en la sangre.

¿Cuál es el papel de la vitamina B_6 en la lucha contra las infecciones?

Tanto los animales como los seres humanos con deficiencia de esta vitamina presentan respuestas inmunológicas seriamente reducidas, superiores a las que se producen con cualquier otra deficiencia de una vitamina B. Quedan afectados muchos aspectos diferentes de la respuesta inmunológica, por ejemplo, disminuye el número de glóbulos blancos que luchan contra las infecciones y su capacidad para identificar un determinado tipo de invasor que provoque la afección y para lanzar un ataque. Muchos expertos creen que la adición de cantidades adecuadas de vitamina B_6 puede mejorar la respuesta inmunológica.

Investigadores del Centro de Investigación sobre la Nutrición Humana en el Envejecimiento de la Tufts University del Departamento de Agricultura de Estados Unidos han mostrado que los complementos de la vitamina B_6 pueden promover la inmunidad en los ancianos, invirtiendo la reducción del sistema inmunológico, que se consideraba relacionada con el envejecimiento y que representaba un riesgo de infección y, posiblemente, de cáncer.

Usted dice que la vitamina B_6 es esencial para ciertos elementos químicos del cerebro. ¿Se emplea en el tratamiento de algunos trastornos mentales?

Sí. Aunque se discuta su uso, la vitamina B_6 se ha utilizado para una variedad de síntomas mentales. Investigadores de la Tufts University han señalado que complementos de vitaminas B, entre los que cabe contar con los de la B_6, aliviaban los síntomas de depresión y mejoraban el rendimiento mental en varones de 70 a 79 años que sufrían depresión. En el estudio, todos esos pacientes recibieron una medicación antidepresiva y la mitad tomaron también un complemento de 10 miligramos de B_1, otros tanto de B_2 y la misma cantidad de B_6.

Tengo una amiga que toma vitamina B_6 porque padece el síndrome de túnel carpiano, una afección nerviosa que determina un movimiento constante de sus manos, como si estuviese tecleando. ¿Se ha demostrado que este tratamiento sea eficaz?

Según varios estudios, la vitamina B_6 contribuye a aliviar en algunos casos el síndrome de túnel carpiano.

En esta afección, un nervio que pasa por la muñeca, el medio, queda comprimido y provoca en las manos una dolorosa sensación de cosquilleo. El doctor Allan L. Bernstein, jefe de Neurología del Kaiser-Permanente Medical Center de Hayward, California, llevó a cabo una investigación y advirtió una mengua del dolor en pacientes que tomaban diariamente 150 miligramos de B_6. El alivio persistió de ocho a doce semanas. Se mantuvo la dosis durante unos cuantos meses y luego gradualmente se redujo hasta un nivel de mantenimiento.

¿Es cierto que a veces se recomienda la vitamina B_6 para las mujeres con síndrome premenstrual?

Sí. En dos pequeños estudios, dosis de 500 miligramos de vitamina B_6 parecieron proporcionar algún alivio a los síntomas de excesiva sensibilidad de los pechos, dolores de cabeza, retención de fluidos, irritabilidad y náuseas, asociados con el síndrome premenstrual. Hemos de añadir que esta dosis se aproxima a un nivel que requiere supervisión médica.

¿En qué otros casos se emplea la vitamina B_6?

Dosis diarias parecen servir de protección contra el «síndrome del restaurante chino»: dolores de cabeza, acaloramiento, aceleración de los latidos del corazón, tirantez de la piel en torno de las sienes y en el cuello; síntomas que algunas personas padecen cuando toman glutamato monosódico (un ingrediente empleado con frecuencia en la cocina china).

La vitamina B_6 ha sido utilizada durante años para tratar los malestares matinales, y un estudio realizado por investigadores de la Facultad de Medicina de la Universidad de Iowa descubrió que realmente era eficaz. Con embarazadas que tomaron 25 miligramos cada ocho horas durante tres días, la vitamina B_6 representó un alivio significativo en casos graves de náuseas y vómitos en comparación con un grupo que tomó placebos (unas píldoras blancas e inocuas). Sin embargo no se evidenció efecto alguno en los casos leves de náuseas.

¿Se aplica en algún otro caso?

Ciertas investigaciones indican también que la deficiencia de vitamina B_6 puede desempeñar un papel en el desarrollo de algunos tipos de cálculos renales, en el aumento del riesgo de afecciones cardíacas, en el empeoramiento de ciertas clases de ataques y en la aparición de cataratas asociadas con la diabetes. Varios médicos emplean complementos de vitamina B_6 y de otras vitaminas B para ayudar a los alcohólicos a recuperar la normalidad en funciones neurológicas y psicológicas.

¿Se ingiere, por lo general, suficiente vitamina B_6?

Aparentemente, son muchas las personas que no reciben bastante cantidad de esta sustancia. Existen más datos sobre ingestiones bajas de vitaminas B_6 que respecto de cualquier otra vitamina, según documenta un texto acerca de la nutrición de los doctores George Briggs y Doris Calloway de la Universidad de California en Berkeley, *Nutrition and Physical Fitness.* De acuerdo con un estudio del Departamento de Agricultura de Estados Unidos, la ingestión media de los varones norteamericanos es de 1,87 miligramos y la de mujeres de 1,16 miligramos.

VITAMINA B_6
Prontuario

Ración dietética recomendada

Para varones, 2 miligramos, para mujeres, 1,6 miligramos.

Fuentes

La vitamina B_6 se halla presente en muchos alimentos. Las fuentes más ricas son el pollo, el pescado, el hígado, riñones, carne de cerdo y huevos. Asimismo se halla en niveles bastante altos en el arroz integral, las semillas de soja, avena, productos de trigo integral, cacahuetes y nueces.

Signos de deficiencia

La deficiencia rara vez se presenta aislada y se suele advertir en las personas que también sufren déficit de varias vitaminas del complejo B. Entre los indicios de deficiencia figuran la debilidad, el insomnio, problemas nerviosos en las manos y los pies, labios, lengua y boca inflamados, y una resistencia menguada a la infección.

Posibles problemas de toxicidad

Tomada en grandes dosis durante un largo período de tiempo, la vitamina B_6 puede afectar al andar y provocar una seria **neuropatía sensorial**, pérdida de sensación en los pies y las manos.

Se ha observado la toxicidad, aunque raramente, con dosis de 100 a 200 miligramos. Sin embargo, la mayoría de las perturbaciones apreciadas correspondían a varones y mujeres que tomaban dosis superiores a los 500 miligramos diarios.

VITAMINA B_{12}

¿Qué es la vitamina B_{12}?

Es una vitamina soluble en agua y la última sustancia descubierta, se detectó en 1948, del complejo B. Posee la estructura más compleja de todas las vitaminas B y es de un color rojo brillante. Sustancialmente, es una molécula de cobalto, lo que explica su nombre oficial, cobalamina.

¿En qué alimentos se encuentra la vitamina B_{12}?

Las mejores fuentes son la carne de hígado y órganos. Asimismo se halla en niveles bastante altos en las carnes musculosas, el pescado, los huevos, los mariscos, la leche y la mayoría de los productos lácteos, excepto la manteca.

¿Cuál es el papel de la vitamina B_{12} en el cuerpo?

Uno de sus papeles importantes es la elaboración de compuestos químicos que favorecen el desarrollo y el funcionamiento normales de los nervios y de la médula espinal.

¿Qué sucede en el sistema nervioso cuando resulta baja la ingestión de esta sustancia?

Las deficiencias de la vitamina B_{12} se hallan ligadas a un deterioro del funcionamiento mental, lesiones neurológicas y cierto número de perturbaciones psicológicas. Su escasez determina un daño en la capa de grasa que cubre los nervios, proceso denominado desmielinación que a menudo comienza en los nervios periféricos y con el tiempo alcanza la médula espinal.

¿Cuáles son los signos de la deficiencia?

En un estudio, 39 personas con síntomas neurológicos relacionados con deficiencia de la vitamina B_{12} fueron tratadas con esta sustancia. Todas ellas mostraron mejoría, a veces de un modo espectacular. Entre los síntomas que presentaban figuraban andar anormal, pérdida de memoria, disminución de reflejos, debilidad, fatiga, desorientación, perturbaciones psiquiátricas, tacto defectuoso o sensación de dolor.

Entre otros signos posibles se encuentran el cosquilleo simétrico, pérdida de sensación o debilidad en las manos o los pies, la reducción de la sensibilidad a las vibraciones y al sentido de la postura, cambios en la personalidad o en el talante y alucinaciones.

¿En qué otros casos es importante la vitamina B_{12}?

Asimismo resulta esencial para el funcionamiento normal de todas las células del cuerpo, particularmente las de la médula ósea (que produce glóbulos rojos), el sistema nervioso y el tracto gastrointestinal.

Y, como la B_6, la vitamina B_{12} es necesaria para elaborar ácidos nucleicos, constituyentes genéticos que existen en todas las células.

Tengo entendido que esta vitamina es generadora de energía. ¿Es cierto?

Años de experiencia clínica demuestran que las personas que padecen una evidente deficiencia de vitamina B_{12} presentan una postura más erguida una vez que reciben cantidades adecuadas. Es posible que estas personas padezcan una forma potencialmente fatal de anemia denominada **anemia perniciosa**, causada por la incapacidad del cuerpo para producir glóbulos rojos normales. Esta clase de anemia da lugar a glóbulos rojos anormalmente grandes y elípticos. La sangre contiene también muchos fragmentos de glóbulos rojos y otros signos microscópicos de anomalías.

Y algunos estudios indican que aparentemente existen más personas de las que se creía con deficiencias sutiles, sin signos de anemia, y que también cobran más energía con el aumento de ingestión de este elemento nutritivo.

¿Existe alguna relación entre las deficiencias de vitamina B_{12} y el cáncer?

Es posible que existan nexos relacionados con su papel en la elaboración de ácido nucleico, al que nos referimos anteriormente. En un estudio, complementos de B_{12} y ácido fólico (otra vitamina B que interviene en la producción de ácido nucleico) contribuyeron a invertir unos cambios celulares potencialmente premalignos en los pulmones de fumadores.

¿Recibe suficiente vitamina B_{12} la mayoría de las personas?

Sí. Aproximadamente los únicos que no consiguen algo más de la cantidad recomendada a través de su dieta son los vegetarianos estrictos que se abstienen de comer carne, productos lácteos o huevos.

¿Significa esto que es rara la deficiencia de vitamina B_{12}?

No. Las deficiencias de vitamina B_{12} no son infrecuentes, pero tienen su origen en problemas de absorción de esta sustancia.

¿Por qué algunas personas no consiguen absorber la vitamina B_{12}?

Es posible que sus problemas de absorción sean debidos a ciertas enfermedades, como la celíaca o a que presenten un nivel bajo de ácido clorhídrico en el estómago (condición denominada aclorhidria), excesivo desarrollo de bacterias en el intestino o hayan sufrido una intervención quirúrgica en el estómago o en el intestino. Cualquiera de estas condiciones puede determinar la incapacidad para producir una proteína llamada factor intrínseco, que escolta a la vitamina B_{12} a través de los intestinos hasta llegar al torrente sanguíneo.

Entonces ¿cómo consiguen esas personas la vitamina B_{12}?

Puede que necesiten regularmente inyecciones de esta sustancia.

¿Son muchas las personas que padecen este problema y necesitan inyecciones?

Varios estudios recientes han descubierto que son muchos los individuos de edad con dificultades de absorción de la vitamina B_{12}, principalmente a causa de una producción insuficiente de ácido clorhídrico. En una de las investigaciones, casi el 15 % de las personas de edades comprendidas entre los 65 y los 99 años presentaba signos de bajos niveles de vitamina B_{12}. Otros estudios indican que entre el 5 y el 10 % de las personas mayores de 65 años tiene niveles bajos de esta sustancia, a menudo sin indicios de anemia.

¿Cómo determinar si padezco deficiencia de la vitamina B_{12}?

Suelen emplearse los análisis de sangre. Habitualmente se realiza primero un análisis de B_{12} en el suero. Si es bajo el nivel, los médicos comprueban el estado de otros dos componentes sanguíneos asociados con la deficiencia de B_{12}: homocisteína y ácido metilmalónico. Se dispone de otros análisis para determinar la existencia de anemia y la capacidad de absorción de la vitamina B_{12}.

Algunos destacados investigadores de la vitamina B_{12} creen prudente que los individuos mayores de 65 años comprueben periódicamente si padecen deficiencia de esa sustancia. Es un análisis que se debe solicitar al médico, puesto que la mayoría no practica habitualmente esta prueba y es posible que ni siquiera reconozcan los primeros síntomas de deficiencia de B_{12}.

¿Se desarrolla súbitamente la deficiencia de la vitamina B_{12}?

No. Frecuentemente exige años de desarrollo, con un empeoramiento gradual de los síntomas relacionados con el funcionamiento nervioso o mental. Una detección temprana puede prevenir a menudo un daño nervioso permanente.

VITAMINA B_{12}
Prontuario

Ración dietética recomendada

Para varones y mujeres, 2 microgramos.

Fuentes

Se encuentra sólo en alimentos de origen animal o en los fermentados por bacterias. Las fuentes más ricas son las carnes de hígado y órganos. Asimismo existe un nivel bastante alto de esta sustancia en las carnes musculosas, el pescado, los mariscos y la mayoría de los productos lácteos, excepto en la manteca.

Signos de deficiencia

Cosquilleo simétrico o pérdida de sensación o debilidad en las manos o los pies, reducción de la sensibilidad a las vibraciones y del sentido de la postura, andar anormal, pérdida de memoria, fatiga (a menudo inicialmente sin anemia), cambios en la personalidad o en el talante y alucinaciones.

Posibles problemas de toxicidad

La vitamina B_{12} no tiene toxicidad conocida. Se consideran inocuos los niveles dietéticos varios centenares de veces superiores a las exigencias nutricionales.

ÁCIDO FÓLICO

¿Qué es el ácido fólico?

El ácido fólico se presenta bajo la forma de polvo amarillo brillante y es una de las vitaminas solubles en agua del complejo B. (El ácido fólico y los compuestos similares que exhiben las mismas propiedades reciben el nombre de folacina o folato.) La denominación procede de un término latino que significa «follaje» y fue acuñada por investigadores que hubieron de manejar cuatro toneladas de espinacas para obtener las primeras muestras puras de ácido fólico.

Por lo tanto esta sustancia se encuentra en las espinacas, pero ¿en qué otros alimentos podemos hallar ácido fólico?

Las mejores fuentes son el hígado, la levadura de cerveza y las verduras de color verde oscuro, como las espinacas o el bretón. Fuentes buenas son las leguminosas secas, hortalizas como los espárragos, la lechuga y el brécol y las naranjas y los productos de trigo integral.

¿Qué es exactamente la levadura de cerveza?

La que se vende en las tiendas de productos dietéticos es exactamente la misma que se emplea en la fermentación de la cerveza y otras bebidas alcohólicas. Se trata de una fuente excelente de varios elementos nutritivos como la tiamina, la riboflavina, la niacina, la B_6, el ácido pantoténico, la biotina y el ácido fólico, así como algunos minerales y microelementos minerales esenciales, especialmente el cromo y el selenio. Posee también una gama de aminoácidos que pueden tener un efecto inmunológico, así como otros ingredientes que se supone que favorecen las acciones curativas.

Bien, volviendo al ácido fólico, ¿qué papel desempeña en el cuerpo?

Es esencial para el desarrollo y la reproducción normales, para prevenir perturbaciones sanguíneas y para importantes mecanismos bioquímicos en el seno de cada célula. El ácido fólico participa en la síntesis del ácido nucleico, constituyente genético de todas las células. Se han asociado las deficiencias del ácido fólico con serios defectos de nacimiento, así como con un cierto tipo de anemia y con el aumento de riesgo de algunas clases de cáncer.

¿Qué datos han llevado a relacionar la deficiencia del ácido fólico con la existencia de defectos de nacimiento?

Varios estudios recientes han descubierto que las mujeres con un nivel bajo de ácido fólico presentan un riesgo mayor de tener hijos con defectos del tubo neural. Entre éstos figuran la incapacidad del cerebro para desarrollarse y de la columna vertebral para cerrarse.

Otras investigaciones han revelado que una cantidad adecuada de ácido fólico reduce el peligro de defectos del tubo neural, tanto en las mujeres de alto riesgo —que ya tuvieron descendencia con tales anomalías— como en las que dan a luz a su primer hijo. Como estos defectos se producen aproximadamente en el momento de la concepción, a menudo antes de que una mujer sepa que está embarazada, los expertos recomiendan que las mujeres que estén en edad de tener hijos tomen una dosis diaria de unos 400 microgramos de ácido fólico, es decir cerca del doble de la ingestión recomendada para la mayoría de la población. Los expertos aconsejan que las mujeres que hayan tenido bebés con defectos del tubo neural y quieran quedarse embarazadas de nuevo hablen con sus médicos sobre la posibilidad de recibir dosis aún más elevadas.

Cada año nacen unos 2.500 bebés con defectos del tubo neural y se estima que responden a este motivo unos 1.500 abortos durante el segundo trimestre, cuando es posible detectar defectos del tubo neural.

¿Cómo se ha llegado a asociar la deficiencia de ácido fólico con la aparición de la anemia? Yo creía que esta afección tenía su origen en la falta de hierro.

La anemia por deficiencia de hierro es sólo un tipo entre los varios existentes de esta afección. La deficiencia de ácido fólico provoca la llamada **anemia macrocítica**. En esta forma de anemia, los glóbulos rojos maduros son menores en número, mayores en tamaño y contienen un volumen menor de hemoglobina portadora de oxígeno. Los nuevos glóbulos rojos de la médula no llegan a madurar en una persona deficiente en ácido fólico. Una vez administradas las cantidades adecuadas de esta sustancia, los glóbulos rojos maduran con rapidez. La anemia causada por deficiencia de hierro no se cura con la administración de ácido fólico; por otra parte, la provocada por deficiencia de la vitamina B_{12} mejora con la aplicación de esta sustancia.

¿Qué datos han llevado a considerar que la aparición de cáncer puede estar relacionada con la deficiencia del ácido fólico?

En un estudio realizado con varones con cambios potencialmente premalignos en las células que revisten los pulmones, se administró a cada sujeto, en calidad de complemento diario, 10 miligramos de ácido fólico junto con la vitamina B_{12}, ello redujo el número de células atípicas. Los investigadores de la Universidad de Alabama en Birmingham —destacados en su campo— suponen que el humo del cigarrillo puede crear una deficiencia de ácido fólico en las células que revisten los pulmones, que las hace susceptibles al daño causado por sustancias químicas del humo.

Se ha asociado un nivel bajo de ácido fólico con un aumento del riesgo de **displasia cervical**, cambios potencialmente premalignos en las células que revisten el cuello del útero. Los investigadores estiman que un nivel bajo de ácido fólico hace que las células cervicales sean vulnerables al daño inducido por virus. Un estudio previo de los mismos investigadores indica que un complemento de ácido fólico puede impedir que la displasia sea progresivamente anormal o contribuir incluso a una vuelta a la normalidad.

¿Es probable un nivel bajo de este elemento nutritivo?

La respuesta depende de lo que se considere bajo. Antes solía significar un problema para muchas personas alcanzar la ración dietética recomendada de ácido fólico. Pero en 1989 se redujo a la mitad: de 400 a 200 microgramos para los varones y de un 400 a 180 microgramos para las mujeres. Esto se corresponde más con el consumo real. Algunos investigadores estiman adecuada la ración dietética recomendada; otros piensan que es demasiado baja, sobre todo para las mujeres en edad de tener hijos, puesto que una ingestión adecuada de ácido fólico en el momento de la concepción resulta importante para el desarrollo normal del feto. Algunos estudios preliminares sugieren además que las cantidades óptimas para prevenir una enfermedad crónica pueden ser superiores a la ración dietética recomendada.

¿Cuáles son los signos de deficiencia?

Entre los síntomas más evidentes figuran fatiga, pérdida de apetito, anemia, inflamación de la lengua (que a menudo experimenta una sensación de quemadura), trastornos gastrointestinales y diarrea.

ÁCIDO FÓLICO
Prontuario

Ración dietética recomendada

Para varones, 200 microgramos; para mujeres, 180 microgramos.

Fuentes

Las fuentes más óptimas son el hígado, la levadura de cerveza y las verduras de color verde oscuro. Asimismo esta sustancia se encuentra en las leguminosas secas, las hortalizas como los espárragos, la lechuga y el brécol, las naranjas y los productos de trigo integral.

Signos de deficiencia

Fatiga, pérdida de apetito, anemia, inflamación de la lengua, trastornos gastrointestinales y diarrea.

Posibles problemas de toxicidad

Se considera rara la toxicidad y no todos los estudios han advertido indicios de ella, aun cuando se trataba de dosis muy altas. En una investigación cantidades de 15 gramos diarios suscitaron trastornos gastrointestinales y perturbaciones del sueño. Dosis de ocho o más gramos pueden causar una lesión neurológica en personas que padezcan anemia perniciosa no diagnosticada.

El ácido fólico puede interferir en la acción curativa de los medicamentos. Las personas que tomen fármacos que, empleados para el cáncer, la artritis u otras afecciones, alteren la capacidad del cuerpo de emplear el ácido fólico, sólo deberán recibir esta sustancia nutritiva con autorización del médico.

NIACINA

¿Que es la niacina?

La niacina es una de las vitaminas B, a veces también conocida como B_3. Se presenta bajo la forma de un polvo blanco, soluble en el agua y más resistente a la destrucción que cualquier otra vitamina del complejo B. Por niacina se entiende tanto el **ácido nicotínico** como la **nicotinamida**, a veces asimismo llamada **niacinamida**. Ambas formas de niacina desempeñan básicamente las mismas funciones, pero el ácido nicotínico posee la ventaja adicional de reducir el nivel de colesterol en la sangre. También produce efectos secundarios no hallados en la nicotinamida.

¿En qué alimentos se encuentra la niacina?

Las fuentes más ricas son la levadura de cerveza, el salvado de trigo y los cacahuetes. Asimismo se halla en el pollo, el atún, el pavo, la carne de vaca y los artículos de trigo integral; las frutas, las verduras y los productos lácteos también contienen cierta cantidad de niacina.

¿Qué papel desempeña la niacina en el cuerpo?

Como las demás vitaminas B, la niacina resulta crucial en la fabricación de enzimas que proporcionan al organismo energía y los elementos constituyentes para la reproducción y reparación de las células. Se sabe que interviene en más de doscientas reacciones enzimáticas que implican el metabolismo de hidratos de carbono, grasas y proteínas. Se ha identificado además a la niacina como una parte del **factor de tolerancia de glucosa**, que contiene cromo, se encuentra en la levadura de cerveza y promueve la respuesta del cuerpo a la **insulina** (una hormona que ayuda a transportar la **glucosa** —azúcar en la sangre— hasta las células y a almacenarla en el hígado y en los músculos).

La sangre es la encargada de transportar este elemento, que se encuentra en todos los tejidos, pero abunda sobre todo en el hígado, los riñones, el corazón, el cerebro y los músculos. Una ausencia de niacina puede provocar un daño celular en cualquier parte del cuerpo.

¿Puede explicar de nuevo la relación de la niacina y el colesterol?

A veces se emplean grandes dosis de unos dos gramos diarios de una forma de niacina, el ácido nicotínico, para reducir el nivel de colesterol y el de los **triglicéridos** en la sangre; de ambos se sabe que intervienen en el desarrollo de afecciones de las arterias coronarias.

Las investigaciones han descubierto que el ácido nicotínico reduce notablemente el nivel de las nocivas **lipoproteínas de densidad baja** en la sangre, mientras eleva el de las **lipoproteínas de densidad alta**. Un amplio estudio advirtió también que el empleo del ácido nicotínico reduce en casi un 30 % la recurrencia de ataques cardíacos en varones con afecciones del corazón. Mas, por desgracia, grandes dosis de ácido nicotínico producen efectos secundarios indeseables.

¿Qué clase de efectos secundarios?

Dosis de centenares de miligramos son susceptibles de provocar un enrojecimiento de la piel e intensos picores. Dosis de millares de miligramos pueden suscitar en el hígado un daño, al principio bajo la forma de **ictericia**, un trastorno hepático que da un tono amarillento a los ojos y a la piel. Algunos médicos estiman probable que el ácido nicotínico dispensado en dosis sucesivas cause más trastornos hepáticos que el administrado de forma normal.

¿En qué otros casos se emplea la niacina?

Se ha utilizado con éxito, junto con el aminoácido triptófano, en el tratamiento de la depresión. Al parecer refuerza el efecto del triptófano en el mantenimiento de los niveles adecuados en la sangre de un importante neurotransmisor cerebral, la serotonina.

El ácido nicotínico se ha empleado también como terapia para la dilatación de los vasos sanguíneos a fin de aumentar el riego en ciertas partes del cuerpo; para estimular la salida de los dientes, aumentar el flujo de jugos gástricos y la motilidad intestinal, la acción de los intestinos con el fin de provocar el desplazamiento de los alimentos.

¿La niacina protege de alguna forma contra el cáncer?

Las investigaciones preliminares muestran que aparentemente ejerce un papel crucial en la prevención del cáncer. Según afirman algunos expertos, una forma de niacina interviene en la producción por parte del cuerpo de una sustancia que repara el daño genético susceptible de ocurrir por la acción de un virus o medicamentos peligrosos. Pero si el organismo carece de niacina, el daño celular no queda reparado y es posible el desarrollo de un cáncer. En la actualidad se llevan a cabo estudios con seres humanos para determinar cuáles son las diferentes ingestiones de niacina que afectan a la capacidad del cuerpo para reparar el daño genético infligido a las células.

¿En qué otros casos se ha observado una acción beneficiosa de la niacina en el organismo?

El mismo estudio que descubrió que las personas que tomaban grandes cantidades de niacina reducían el riesgo de un segundo ataque cardíaco, también advirtió que volúmenes considerables de esta sustancia inducían una tasa significativamente más baja de mortalidad en *cualquier* causa de muerte analizada: afecciones de las coronarias, otras enfermedades cardiovasculares, cáncer, etc. Se ha prescrito la niacina para reducir los síntomas de la abstinencia alcohólica o de las drogas, en el tratamiento de la esquizofrenia y en algunas otras perturbaciones mentales, para aliviar las migrañas y aminorar los síntomas de la diabetes y la artritis. Pero son escasas las investigaciones que demuestren que sirve de ayuda en cualquiera de estas condiciones.

¿Qué cantidad de niacina se obtiene en la dieta?

La dieta media proporciona unos 20 miligramos diarios, cerca de la ración dietética recomendada. Por consiguiente no se considera que la niacina sea un elemento nutritivo que presente problemas.

¿Cuáles son los signos de deficiencia?

La clásica enfermedad carencial, pelagra —significa en italiano «piel áspera». Los síntomas de esta enfermedad, potencialmente fatal y antaño corriente en América del Sur entre personas que subsistían principalmente a base de maíz, corresponden a los que los estudiantes de nutrición denominan las «3 D», dermatitis, diarrea y demencia. Entre los síntomas más específicos figuran la irritabilidad, la ansiedad y la depresión, llagas en la boca y en la lengua, inflamación de membranas en el tracto intestinal (con diarrea sanguinolenta en etapas posteriores) y ronchas enrojecidas, sobre todo en la cara, las manos y los pies cuando han estado expuestos a la luz solar, que luego hacen que la piel se vuelva áspera y de un tono más oscuro.

Estos mismos signos de deficiencia se consideran aplicables a los problemas de déficit y del metabolismo del triptófano y la vitamina B_6. El primero es un aminoácido capaz de transformarse en niacina y la segunda resulta necesaria para esta conversión. Grandes cantidades de triptófano en la dieta pueden compensar una pobre ingestión de niacina.

NIACINA
Prontuario

Ración dietética recomendada

Para varones, 19 miligramos; para mujeres, 15 miligramos.

Fuentes

Las fuentes más ricas son la levadura de cerveza, el salvado de trigo y los cacahuetes; además del pollo, el atún, el pavo, la carne de vaca y los productos de trigo integral. Frutas, verduras y productos lácteos contienen asimismo cierta cantidad de niacina.

Signos de deficiencia

Irritabilidad, ansiedad, depresión, llagas en la boca y en la lengua, inflamación de las membranas del tracto intestinal (con diarrea sanguinolenta en etapas posteriores) y ronchas enrojecidas, sobre todo en la cara, las manos y los pies cuando han estado expuestos a la luz solar, que luego hacen que la piel se vuelva áspera y de un tono más oscuro.

Posibles problemas de toxicidad

Dosis de varios centenares de miligramos de ácido nicotínico pueden causar un enrojecimiento de la piel e intensos picores. Dosis de 1.500 a 3.000 miligramos son susceptibles de provocar ictericia y daños potenciales en el hígado. Aproximadamente una tercera parte de las personas sometidas a una terapia de dosis elevadas arrojan resultados anómalos en una o más de las pruebas de la función hepática. En la mayoría de los casos, ésta recobra la normalidad tras la interrupción de las dosis de ácido nicotínico. También es posible que aparezcan con grandes dosis acedías serias, náuseas y vómitos.

TIAMINA

¿Qué es la tiamina?

Es una vitamina del complejo B. Fue la primera que se obtuvo en estado puro, por lo que a veces se la llama vitamina B_1. La deficiencia de tiamina provoca la enfermedad tradicionalmente conocida como beriberi, que se caracteriza por entumecimiento y cosquilleo de los pies, envaramiento de los tobillos, calambres dolorosos en las piernas, dificultad al andar y, finalmente, parálisis de las piernas con pérdida muscular.

¿Qué alimentos son las mejores fuentes de tiamina?

No hay muchos. Sin embargo, cabe señalar la levadura de cerveza, la carne de órganos, los cereales integrales, la carne de cerdo y las leguminosas. Otros alimentos con cantidades moderadas de tiamina son las carnes en general, el pescado y las aves, huevos, nueces, leche y productos lácteos, hortalizas y harinas y cereales enriquecidos con tiamina. La avena molida y las leguminosas secas son una fuente buena y económica de tiamina.

¿Qué papel desempeña la tiamina en el cuerpo?

Al igual que la mayoría de las demás vitaminas del complejo B, la tiamina interviene en la obtención de energía de los alimentos. Ayuda al cuerpo a convertir las calorías que tomamos como hidratos de carbono en energía utilizable a través de complejas reacciones químicas en presencia de oxígeno. Sin una fuente dietética de tiamina, los hidratos de carbono que comemos no sufren un completo metabolismo y forman en la sangre niveles tóxicos de compuestos, considerados la causa más importante de los síntomas de deficiencia, como los problemas nerviosos y la pérdida muscular advertidos en el beriberi.

La tiamina es esencial casi en cualquier reacción celular del cuerpo, para la normalidad del desarrollo y del crecimiento, una forma física excelente y una buena salud. Resulta precisa para que la piel y el cabello tengan un aspecto sano y para las funciones del cerebro y los nervios, la producción de sangre y la existencia de defensas normales contra infecciones y enfermedades.

¿Se emplea la tiamina en el tratamiento de alguna afección?

Ha sido utilizada para contribuir a tratar algunos de los síntomas asociados con el abuso del alcohol, como confusión mental, perturbaciones visuales y andar vacilante. Ya se apuntó anteriormente que los alcohólicos presentan un déficit de esta vitamina.

La escasez de tiamina es susceptible de contribuir a la aparición de afecciones cardíacas. Unos volúmenes adecuados de esta sustancia pueden ayudar a corregir síntomas de alteración del ritmo cardíaco, respiración acelerada, hinchazón de pies y piernas, hipotensión y dolor en el pecho de pacientes con niveles bajos de tiamina.

¿Algunos otros problemas en los que resulte eficaz la tiamina?

Su deficiencia puede ser causa de una variedad de trastornos y se ha empleado la tiamina para tratar problemas nerviosos relacionados con tal escasez, sobre todo en los músculos oculares. Pero no han quedado probadas las afirmaciones de que la tiamina resultaba útil en perturbaciones neurológicas sin relación con su deficiencia, como la esclerosis múltiple, la parálisis de Bell y la miastenia grave.

Una forma infrecuente de anemia responde también a grandes dosis de tiamina. Y los diabéticos deficientes en esta sustancia suelen advertir cuando recobran la ingestión normal una mejoría en el metabolismo de azúcar en la sangre.

¿Existen síntomas mentales relacionados con la deficiencia de tiamina como sucede con otras vitaminas del complejo B?

Sí. Se ha llamado a la tiamina la «vitamina moral» porque uno de los primeros signos de su carencia es una mengua de energías. Los estudios realizados con personas que voluntariamente siguieron una dieta moderadamente baja en tiamina permitieron descubrir que les bastaron diez días para desarrollar síntomas. Se mostraban deprimidas e irritables y les faltaba la capacidad para concentrarse e interesarse por su trabajo. Al cabo de tres a diez semanas, aparecieron otros signos, entre los que figuraban fatiga, falta de apetito, pérdida de peso, estreñimiento, calambres musculares y diversos dolores. Los sujetos se recobraron pronto en cuanto recibieron cantidades mayores de tiamina.

¿Consiguen la mayoría de las personas suficiente tiamina de sus dietas?

Las investigaciones revelan que la mayor parte de los individuos obtienen tiamina suficiente para la prevención de un auténtico beriberi, que se caracteriza por entumecimiento y cosquilleo de los pies, envaramiento de los tobillos, calambres dolorosos en las piernas y otros síntomas. Pero muchas dietas no llegan a proporcionar las cantidades óptimas, especialmente en épocas de tensión física, como el embarazo, una enfermedad o una intervención quirúrgica. El alcoholismo contribuye también a la deficiencia de tiamina, agotando las reservas que el cuerpo tiene de este elemento nutritivo. La necesidad de tiamina aumenta asimismo con el número de calorías diarias que se quemen.

¿Qué personas presentan probabilidades de deficiencia?

Los alcohólicos crónicos muestran a menudo síntomas del sistema nervioso asociados con la deficiencia de tiamina, como el entumecimiento y el cosquilleo de los pies, porque su dieta carece a menudo de esta vitamina y su gran ingestión de calorías en forma de alcohol aumenta la necesidad de la misma. El alcohol reduce también la absorción de tiamina a través del intestino, problema tan extendido entre los alcohólicos que al menos en un país, Australia, los funcionarios de la sanidad pública han pensado en fortalecer la cerveza con tiamina.

Otras personas con riesgo de escasez de tiamina son las que observan dietas para adelgazar, las que toman café o té en grandes cantidades, las personas de edad muy avanzada y los sometidos a medicamentos como furosemida (Lasix, un diurético), digoxina y antiácidos.

¿Experimentar tensión o el ejercicio físico representan un riesgo de deficiencia de tiamina?

Sí. Los sujetos que hacen mucho ejercicio y comen gran cantidad de hidratos de carbono necesitan más tiamina que los muscularmente inactivos. Por este motivo la ración dietética recomendada de tiamina se expresa a menudo en función de la ingestión de calorías: tanto por cada mil. Pero, sea cual fuere el número de calorías que tome una persona, el mínimo necesario sigue superando un poco el miligramo diario de tiamina.

TIAMINA
Prontuario

Ración dietética recomendada

Para varones 1,5 miligramos; para mujeres, 1,1 miligramos.

Fuentes

Son pocos los alimentos abundantes en tiamina. Los que poseen una mayor cantidad son la levadura de cerveza, la carne de órganos, los cereales integrales, la carne de cerdo y las leguminosas. Los alimentos con cantidades moderadas de tiamina son las harinas y los cereales enriquecidos con esa vitamina, la carne, el pescado y las aves, los huevos, las nueces, la leche y los productos lácteos y las hortalizas. La avena molida y las leguminosas secas constituyen una fuente buena y económica de tiamina.

Signos de deficiencia

Entumecimiento y cosquilleo de los pies, envaramiento, calambres dolorosos en las piernas, dificultades para andar, problemas digestivos, falta de apetito, fatiga, depresión e irritabilidad.

Posibles problemas de toxicidad

La toxicidad a largo plazo puede producir síntomas de hipertiroidismo: dolores de cabeza, irritabilidad, temblores, pulso rápido e insomnio. Con inyecciones de tiamina han aparecido en grados diversos reacciones de picores, debilidad, dolor, sudor, náuseas, cosquilleo y languidez. Cinco miligramos es la dosis oral mínima de la que se sabe que causa efectos secundarios, pero al parecer la mayoría de las personas toleran sin efectos nocivos cantidades mucho más elevadas. Son raras las menciones de efectos secundarios.

BIOTINA

¿Qué es la biotina?

Una vitamina del complejo B soluble en el agua que se produce en el intestino y también se obtiene de los alimentos.

¿Qué papel desempeña la biotina en el cuerpo?

Como otras vitaminas B, la biotina resulta esencial para el metabolismo de hidratos de carbono y grasas y la elaboración de proteínas. Desempeña una función crucial en la producción de ácido nucleico, la sustancia con que se forma el material genético de la célula.

¿Se emplea la biotina para tratar alguna afección?

Se administran dosis de biotina a caballos y cerdos con cascos y pezuñas cuarteados. Y un estudio de investigadores suizos muestra que esta vitamina también es eficaz en el tratamiento de pacientes que presentan cuarteamiento, fragilidad, blandura o delgadez de las uñas, provocados por la desintegración del cemento intercelular entre las capas duras del tejido córneo.

La biotina puede resultar asimismo eficaz para combatir algunos trastornos dérmicos como la dermatitis seborreica, condición que se caracteriza por el aspecto grasiento y escamoso del cuero cabelludo, la cara, el pecho, la espalda, las axilas y las ingles.

Se emplean grandes dosis de biotina para tratar una incapacidad genética rara y potencialmente fatal del empleo de esta sustancia en el cuerpo.

Creo haber visto algún champú que tenía biotina.

Sí, algunos champús contienen esta vitamina, aunque la mayoría de los expertos estima que es improbable que sea eficaz aplicada de esta forma.

En el aspecto positivo, sin embargo, los complementos orales de biotina han tenido éxito en el tratamiento del «síndrome del remolino», una perturbación que determina el crecimiento de los cabellos infantiles en los más diversos sentidos.

Entonces ¿la deficiencia de biotina constituye un problema para el cabello?

Sí. La deficiencia de biotina causa la pérdida del cabello, que algunas personas con niveles bajos de biotina pueden recuperar mediante cantidades acrecidas de esta sustancia. Pero la mayoría de los sujetos que pierden cabello no son deficientes en biotina y no lo recobrarán por elevada que sea la dosis en que se administre esta vitamina.

¿Es corriente la deficiencia de biotina?

No, se considera bastante rara. Los estudios muestran que la mayoría de las personas recibe cada día entre 100 y 200 microgramos de biotina.

BIOTINA
Prontuario

Ración dietética recomendada

No hay ración dietética recomendada, sino una ingestión dietética diaria estimada segura y adecuada para varones y mujeres de 30 a 100 microgramos.

Fuentes

Hígado, riñones, levadura de cerveza, yemas de huevo, cereales integrales, pan, pescado, nueces, leguminosas, carne y productos lácteos.

Signos de deficiencia

En adultos, la pérdida del cabello; ronchas rojizas y escamosas en torno a la nariz, boca y otros orificios corporales; depresión intensa; alucinaciones; insomnio y dolores musculares. En niños pequeños cabe también incluir como síntoma un profundo retraso en el desarrollo y falta de tono muscular.

Posibles problemas de toxicidad

No hay pruebas de toxicidad.

ÁCIDO PANTOTÉNICO

¿Qué es el ácido pantoténico?

Es también una vitamina soluble en el agua del complejo B. La palabra pantoténico procede del griego y significa «en todas partes». Se asignó esta denominación porque esta vitamina se halla presente en todos los alimentos, aunque no siempre en cantidades sustanciales.

¿Qué papel desempeña en el cuerpo el ácido pantoténico?

Esta vitamina interviene en el adecuado desarrollo de la piel, en la función nerviosa y en el mantenimiento de la salud de las **cápsulas suprarrenales**, que pueden agrandarse, enrojecer y tornarse propensas a una hemorragia ante una deficiencia de ácido pantoténico. Se sabe que esta sustancia interviene en la producción de cortisona y de otras dos hormonas afines elaboradas por las cápsulas suprarrenales. Estas hormonas desempeñan un papel importante en el metabolismo, en las reacciones del cuerpo a la tensión y en las inflamaciones.

Varios estudios han examinado las aseveraciones de que el ácido pantoténico previene o alivia la artritis. Una doble investigación realizada por separado descubrió «efectos muy significativos de la administración oral del pantotenato de calcio [un derivado del ácido pantoténico] en la mengua de la duración del envaramiento matinal, el grado de incapacidad y la gravedad del dolor» en pacientes de artritis reumatoide,[1] caracte-

1. Término que suelen aplicar los norteamericanos a la artritis crónica deformante (*N. del T.*)

rizada por la inflamación de las articulaciones y otras partes del cuerpo.

¿En qué otros casos el organismo puede beneficiarse de la acción del ácido pantoténico?

Como otras vitaminas B, ésta desempeña un papel crucial en el metabolismo energético. Es esencial para la desintegración y la extracción de energía de los hidratos de carbono, las grasas y las proteínas.

Los estudios que han examinado las afirmaciones de que el ácido pantoténico promueve la energía y la capacidad atlética han tenido sin embargo resultados diversos. En una investigación, corredores de fondo en buena forma que recibieron dos gramos diarios de ácido pantoténico durante dos semanas superaron a otros atletas también en forma a los que se había administrado placebos. Los que obtuvieron el ácido pantoténico necesitaron menos oxígeno para realizar un esfuerzo equivalente y durante el ejercicio elaboraron una cantidad significativamente menor de los elementos bioquímicos que provocan una sensibilización muscular.

ÁCIDO PANTOTÉNICO
Prontuario

Ración dietética recomendada

En la actualidad no hay una ración dietética recomendada del ácido pantoténico, pero se considera oportuna para varones y mujeres una ingestión dietética diaria estimada segura y adecuada de 4-7 miligramos.

Fuentes

Entre los alimentos especialmente ricos en ácido pantoténico figuran la levadura de cerveza, el hígado, los huevos, el trigo germinado y el salvado de este cereal, cacahuetes y guisantes. Otros alimentos con un nivel bueno de esta vitamina son la carne, la leche, las aves, los cereales integrales, el brécol, las setas y las batatas. La mayoría de las frutas y hortalizas contiene pequeñas cantidades.

Signos de deficiencia

Fatiga, dolor de cabeza, perturbaciones del sueño, cambios de la personalidad, náuseas, trastornos abdominales, entumecimiento y cosquilleo de manos y pies, sensación ardiente en los pies, calambres musculares, coordinación alterada y fallos inmunológicos.

Posibles problemas de toxicidad

La mayoría de los expertos considera extremadamente bajo el riesgo de toxicidad. En los seres humanos, las dosis muy grandes —de 10 a 20 gramos diarios— no han producido otra reacción que una forma leve de diarrea y de retención de fluidos.

RIBOFLAVINA

¿Qué es la riboflavina?

Una de las vitaminas del complejo B. Se trata de un compuesto soluble en el agua y de color amarillento anaranjado y, como fue la segunda en ser descubierta, se la denomina a veces B_2.

¿Qué papel desempeña en el cuerpo la riboflavina?

Como otras vitaminas del complejo B, es necesaria para transformar los alimentos en energía. La sangre la lleva a todas las células, donde se utiliza en la elaboración de enzimas importantes para el metabolismo energético. Los compuestos con contenido de riboflavina son esenciales para el metabolismo de los hidratos de carbono, aminoácidos y grasas.

Estos compuestos resultan también cruciales para el desarrollo y mantenimiento adecuados de las células de los nervios y de la sangre, para el metabolismo del hierro, el funcionamiento de las cápsulas suprarrenales, la formación de tejido conjuntivo y para una excelente función inmunológica. Es fácil pues advertir por qué una deficiencia de riboflavina puede ejercer un impacto en todo el cuerpo.

¿Hay alguna deficiencia relacionada con una enfermedad específica?

En los estudios llevados a cabo, la deficiencia de riboflavina ha sido asociada con un incremento del cáncer de garganta y con el desarrollo de cataratas, el enturbiamiento de las lentes oculares que puede conducir a la ceguera.

Es posible que la deficiencia afecte asimismo al funcionamiento cerebral. En una investigación, individuos que ya habían cumplido sesenta años y obtenían la ración dietética recomendada de riboflavina se comportaron durante pruebas de estimación de la memoria mejor que los de su misma edad que recibían una dosis de riboflavina inferior a la ración dietética recomendada.

RIBOFLAVINA
Prontuario

Ración dietética recomendada

Para varones, 1,7 miligramos; para mujeres, 1,3 miligramos.

Fuentes

La riboflavina se encuentra en muy diferentes alimentos. Las fuentes más ricas son las carnes de órganos como el hígado, los riñones y el corazón. También son una buena fuente las verduras de color verde oscuro. Sin embargo, la riboflavina suele obtenerse principalmente de carnes y productos lácteos, además de harina blanca y cereales enriquecidos con esta vitamina.

Signos de deficiencia

Indicios corrientes de una carencia seria son los problemas dérmicos, entre los que cabe mencionar la condición grasienta y escamosa de la cara. También pueden presentarse enrojecimiento, inflamación y agrietamiento de los labios, sobre todo en las comisuras de la boca, y llagas y enrojecimiento en la lengua, junto con pérdida del apetito, debilidad, fatiga, depresión y anemia, oscurecimiento de la visión y sensación de ardor en los ojos. Es posible que en manos y pies se advierta una mengua de la sensibilidad al tacto, la temperatura, las vibraciones y la posición.

Posibles problemas de toxicidad

Es muy bajo el riesgo de toxicidad. Probablemente porque no se absorben bien las grandes dosis, son en esencia no tóxicas las elevadas tomas orales de riboflavina.

VITAMINA C

¿Qué es la vitamina C?

La vitamina C o **ácido ascórbico** es un polvo blanco que se disuelve con facilidad en el agua. Se la conoce mejor por su proclamada capacidad para prevenir resfriados, a la que nos referiremos, y desempeña asimismo un papel fundamental en muchas funciones corporales. La vitamina C constituye el antioxidante más poderoso soluble en el agua del cuerpo. Protege las células del daño por oxidación, proceso que explicaremos detalladamente más adelante.

¿En qué alimentos se encuentra la vitamina C?

Para empezar, piense en los cítricos. Naranjas y pomelos son buenas fuentes. Otras frutas ricas en vitamina C son las fresas, los kiwis, las grosellas, las guayabas y las papayas. Hay muchas verduras que contienen esta sustancia, las más abundantes en vitamina C son los pimientos rojos, el brécol y las coles de Bruselas. Si observa las sugerencias de la Academia Nacional de Ciencias y toma siquiera cinco porciones diarias de frutas y verduras, obtendrá por lo menos 120 miligramos de vitamina C, el doble de la ración dietética recomendada de 60 miligramos.

¿Qué función desempeña en el cuerpo la vitamina C?

Su acción es variada e indispensable en todos los casos para una buena salud. Se precisa para que el cuerpo elabore tejido conjuntivo o colágeno, que se encuentra en todo el organismo y contribuye al mantenimiento de la estructura de los tejidos, en la piel, músculos, encías, vasos sanguíneos y huesos. En la clásica enfermedad carencial, el escorbuto, conocida desde hace más de treinta y cinco siglos, la falta de vitamina C conduce a que se abran pequeños vasos sanguíneos, al enrojecimiento y hemorragia de la piel y las encías, la pérdida de dientes, debilidad general y muerte.

Al igual que la vitamina E y el caroteno beta, la vitamina C actúa como un antioxidante. Eso significa que contribuye a neutralizar en el cuerpo reacciones potencialmente nocivas capaces de causar un daño celular asociado con el cáncer, las afecciones cardíacas y otras diversas enfermedades.

Pero ¿qué significa todo esto en términos de salud o de enfermedad?

Se han hecho muchas afirmaciones con respecto a la vitamina C y los estudios revelan que, al menos en algunos casos, son válidas. Se ha descubierto que la vitamina C previene —no cura— el cáncer, promueve la inmunidad frente a resfriados y otras infecciones, combate las enfermedades cardíacas, acelera la cicatrización de heridas y contribuye a prevenir las ulceraciones por una prolongada permanencia en cama. También ayuda a superar algunas clases de esterilidad masculina y, en los fumadores, puede incluso colaborar en la prevención de anormalidades del semen susceptibles de provocar defectos de nacimiento. Parece contrarrestar el asma, proteger los pulmones contra el humo del tabaco y otros contaminantes, reducir algunos tipos de reacciones alérgicas y contribuir a la prevención de cataratas.

¡Caramba! Veamos todo esto poco a poco. ¿Cómo se cree que la vitamina C ayuda a prevenir el cáncer?

Los estudios realizados durante la última década muestran que esta vitamina brinda una cierta protección contra el cáncer. De cuarenta y seis investigaciones de población centradas en la ingestión de vitamina C, treinta y tres hallaron una reducción significativa de riesgo de cáncer en las personas de ingestión más elevada. «En muchos de estos estudios —dice una especialista en nutrición— las personas que tomaban más vitamina C presentaban la mitad del riesgo de cáncer que las que ingerían un volumen bajo de esta sustancia.»

Las ingestiones altas de vitamina C fueron generalmente de unos 150 miligramos o más al día y las bajas de 60 miligramos o menos. Esta diferencia equivalía a unos 115 gramos de zumo de naranja.

El efecto protector parece ser más intenso en lo que se refiere al cáncer de esófago, laringe, boca y páncreas. Este elemento nutritivo, según afirman los expertos, brinda asimismo una defensa contra el cáncer de estómago, recto, mama, cuello del útero y quizá incluso contra el de pulmón.

¿Qué clase de mecanismo defensivo opera en estos casos?

Los investigadores aseguran que la vitamina C puede protegernos contra el cáncer (1) ayudando a evitar al material genético de la célula un daño que conduzca a cambios cancerosos; (2) neutralizando compuestos químicos como las nitrosaminas, conservantes (a menudo halladas en la carne fiambre y el tocino) que aumentan las probabilidades de cáncer gastrointestinal; y (3) aumentando la capacidad del sistema inmunológico para localizar y destruir células precancerosas.

¿Es cierto que la vitamina C es un arma eficaz contra los resfriados? ¿Realmente los vence?

Algunos aseguran que funciona y, de hecho, un análisis de una docena de investigaciones sobre los efectos de la vitamina C en los resfriados revela un promedio de reducción del 37 % en la duración de afecciones tratadas con esta sustancia. En varios estudios, el número de días de enfermedad pasó de una semana aproximadamente a cinco días. La mayoría de los estudios también dan cuenta de una disminución de la gravedad de los síntomas, como estornudos, tos y mucosidad.

¿Cómo opera la vitamina C contra los resfriados?

La vitamina reduce el nivel en la sangre de la histamina, un elemento bioquímico (segregado por las células inmunológicas) que puede provocar inflamación de los tejidos y mucosidad nasal. Protege además a las células inmunológicas y al tejido circundante de las reacciones oxidantes que se dan cuando las células inmunológicas combaten a las bacterias.

¿Qué función tiene la vitamina C en las afecciones cardíacas? ¿Cómo se cree que contribuye a su prevención?

La vitamina C ayuda a impedir un aparente primer paso en el desarrollo de una afección cardíaca, la **oxidación** del colesterol de lipoproteínas de densidad baja que obstruye las arterias. La oxidación es un proceso químico en el que una molécula se combina con oxígeno y pierde electrones. Una vez que se oxida el colesterol de lipoproteínas de densidad baja, rápidamente se convierte en depósitos endurecidos que hacen más angostas las arterias.

En un estudio llevado a cabo por investigadores de la Escuela de Sanidad Pública de la Universidad de California en Los Ángeles, un riesgo menor de afecciones cardíacas apareció más intensamente asociado con una ingestión elevada de vitamina C que con niveles bajos de colesterol o con una dieta escasa en grasas. El estudio descubrió que los varones con mayor ingestión de vitamina C —un promedio de 140 miligramos diarios obtenidos de alimentos y compuestos— presentaban una tasa de mortalidad inferior en un 42 % a la previamente estimada. Pero la mayoría de los especialistas consideran que los datos actuales sobre la protección cardíaca apuntan más hacia la vitamina E y el caroteno beta que hacia la vitamina C.

¿Cómo se cree que la vitamina C previene las ulceraciones debidas a una larga permanencia en la cama?

Ha sido probado que las deficiencias de vitamina C suscitan un retraso en las cicatrizaciones. Y según un reciente estudio de investigadores ingleses realizado con personas encamadas por fractura de cadera, los niveles bajos de vitamina C incrementaban el riesgo de desarrollar ulceraciones.

Respecto de los problemas de la esterilidad masculina, ¿cuál es el papel estimado de la vitamina C?

Los investigadores han descubierto la posibilidad de invertir, mediante un complemento diario de un gramo de vitamina C, una forma corriente de esterilidad masculina causada por un agrupamiento de células del semen. Científicos de la Universidad de California en Berkeley han averiguado además que las ingestiones bajas de vitamina C incrementan el daño genético en las células del semen, lo que podría conducir a defectos de nacimiento. Cuando los sujetos de la experiencia aumentaron hasta 60 miligramos o más sus ingestiones de vitamina C, disminuyó el daño genético.

¿Cómo se considera que protege la vitamina C contra el asma o la contaminación del aire?

Esta sustancia actúa en los pulmones como un antioxidante y puede ayudar así a protegerlos de los efectos nocivos del humo del tabaco y de los contaminantes del aire. En los estudios realizados, una exposición al humo del cigarrillo o a contaminantes como el ozono, disipaba la vitamina C de los pulmones.

En razón de su acción antihistamínica y antiinflamatoria, la vitamina C también puede ser capaz de lograr que los pulmones sean menos susceptibles a irritantes suscitadores de espasmos y reducir así los ataques alérgicos y de asma. Un estudio reveló que una dosis de 500 miligramos de vitamina C, tomada hora y media antes de un ejercicio vigoroso, aliviaba los espasmos bronquiales en algunas personas con asma.

Respecto de las cataratas, ¿cuál es el papel estimado de la vitamina C?

Las cataratas se desarrollan cuando se oxidan las proteínas de las lentes oculares, haciendo que éstas se vuelvan opacas y de un color blanco lechoso.

En estudios realizados con animales, se ha descubierto que la vitamina C protege la lente del ojo contra el daño causado por la radiación ultravioleta, reduciendo la incidencia de cataratas. Y en una reciente investigación realizada con 77 varones y mujeres con cataratas y 35 sujetos que no padecían esta afección, pareció advertirse una diferencia importante en la cantidad de fruta y hortalizas frescas, amarillas, verdes y rojas, que consumían. Una ingestión inferior a 3,5 porciones diarias aumentaba casi seis veces el riesgo de cataratas.

¿Cómo previene la vitamina C las posibles afecciones oculares?

La vitamina C se halla muy concentrada en la lente ocular, que puede llegar a contener hasta sesenta veces la cantidad hallada en la sangre, según un experto en bioquímica y nutrición. Es posible que la vitamina C contribuya a la conservación del tejido transparente de la lente del daño oxidante resultante de la exposición a la luz solar. Esta sustancia, aseguran los especialistas, también protege las enzimas que dentro de la lente eliminan las proteínas dañadas por la oxidación, contribuyendo a que el ojo se cure por sí solo.

¿Qué cantidad de vitamina C hay que tomar?

La ración dietética recomendada de vitamina C es de 60 miligramos diarios. En 1989, y basándose en investigaciones que demostraban que el humo del tabaco disipa la vitamina C del cuerpo, se fijó una dosis diaria de 100 miligramos para fumadores, la primera ración dietética recomendada que consideró a este grupo como un colectivo con necesidades especiales. Y otros estudios han revelado que se requieren cantidades superiores a la ración dietética recomendada para proporcionar una protección óptima de la vitamina C contra el daño celular provocado por los radicales libres.

Ya sé que lo ha mencionado, pero le ruego que lo repita. ¿Qué son los radicales libres y en qué forma dañan a las células?

Los radicales libres son partículas moleculares desequilibradas generadas durante reacciones en las que interviene el oxígeno y pueden dañar a las células privándolas de electrones. Los radicales libres pueden desencadenar unas reacciones nocivas que, sin embargo, cabe prevenir mediante la presencia de las vitaminas C y E, que brindan electrones a los radicales libres sin experimentar desequilibrio alguno.

Bien, volviendo a la vitamina C, ¿se obtiene la cantidad necesaria en la dieta diaria?

Basándose en encuestas del Departamento de Agricultura de Estados Unidos, se ha estimado que las mujeres reciben un promedio diario de 77 miligramos de vitamina C, la cantidad que se encuentra en 115-140 gramos de zumo de naranja. La ingestión diaria de los varones es de 109 miligramos. Los investigadores señalan que, sin embargo, resulta difícil calcular cuál es la cantidad real que toman, puesto que la vitamina C se pierde con facilidad durante el almacenamiento y cocinado de los alimentos.

VITAMINA C
Prontuario

Ración dietética recomendada

Para varones y mujeres, 60 miligramos diarios. Para fumadores, 100 miligramos.

Fuentes

Fuentes excelentes son los cítricos, los pimientos rojos, grosellas y guayabas. Otros alimentos con niveles bastante altos de esta sustancia son las fresas, los kiwis, los brécoles, las coles de Bruselas y las papayas.

Signos de deficiencia

Propensión a los magullamientos (fragilidad capilar), encías sangrantes, debilidad muscular, hinchazón o dolores de las articulaciones, hemorragia nasal, infecciones frecuentes y retraso en la cicatrización.

Posibles problemas de toxicidad

Se considera completamente inofensiva, aun tomada en grandes cantidades, puesto que el cuerpo elimina toda la vitamina C que no puede emplear. Sólo las dosis de 500 miligramos pueden ser causa de diarrea en algunas personas, pero muchas otras son capaces de soportar volúmenes muy superiores sin efecto alguno. En un estudio, dos de cada nueve individuos que tomaban diariamente 2.000 miligramos de vitamina C sufrieron sequedad y hemorragia nasales.

Las personas propensas a los cálculos renales o con alguna enfermedad de los riñones sólo deben tomar grandes cantidades bajo supervisión médica. Se ha mencionado un caso de escorbuto en un individuo que dejó abruptamente de tomar un complemento diario de 1.000 miligramos de vitamina C. La reducción paulatina de la dosis puede soslayar este resultado.

VITAMINA D

¿Qué es la vitamina D?

Al igual que las vitaminas A, E y K, la D es soluble en grasa. Se presenta en estado puro como cristales blancos. En calidad de complemento reviste sin embargo habitualmente la apariencia de un aceite amarillo claro. Puede proceder del aceite de hígado de bacalao, que tiene 425 unidades internacionales de vitamina D por cucharadita de café.

Esta sustancia se distingue de las demás vitaminas en dos aspectos. En primer lugar, cabe sintetizarla en la piel a partir de los rayos solares, razón por la que a veces se la llama vitamina del sol. Con una suficiente exposición a los rayos solares, no necesita consumir vitamina D en los alimentos que coma. En segundo lugar, es la única cuya forma biológicamente activa es una hormona, el calcitriol. La vitamina D se convierte en esta hormona en los riñones antes de desempeñar su papel en el cuerpo.

¿Cuál es la ración dietética recomendada de la vitamina D?

Cuatrocientas unidades internacionales para los varones y las mujeres de edad comprendida entre los 11 y los 24 años, y 200 unidades internacionales para las mujeres de 25 o más años.

¿Cuáles son las mejores fuentes de vitamina D?

No es una vitamina muy abundante en la cadena alimenticia. Se encuentra principalmente en peces grasos como la caballa, el atún y el salmón y en el hígado, las yemas de huevo y, hasta cierto punto, en la leche grasa.

La mayor parte de la leche que se vende en Estados Unidos se halla fortalecida con vitamina D. Un litro de leche entera, de bajo contenido graso o desnatada brinda aproximadamente 400 unidades internacionales de vitamina D, el ciento por ciento de la ración dietética recomendada. La leche fortalecida y las fórmulas para bebés constituyen en Estados Unidos las mayores fuentes dietéticas de vitamina D.

¿Qué funciones realiza la vitamina D?

Su papel más importante consiste en la regulación de dos minerales, el calcio y el fósforo, importantes para el crecimiento y el desarrollo normales, sobre todo para la mineralización (endurecimiento) de los huesos.

La vitamina D estimula la absorción de calcio por el intestino. Sin ella, este mineral no podría ser absorbido. También contribuye a endurecer los huesos y estimula los riñones para que reabsorban cierta cantidad de calcio, evitando así que el cuerpo lo elimine.

¿Qué ocurre en los huesos cuando no se ingiere suficiente vitamina D?

Si llega a padecer deficiencia de vitamina D, su cuerpo incrementará la producción de una hormona que priva de calcio a los huesos.

En los niños, la enfermedad clásica de deficiencia de vitamina D es el raquitismo, condición caracterizada por tal reblandecimiento en los huesos que éstos se curvan. Los pequeños con raquitismo presentan las piernas arqueadas o dobladas hacia atrás por las rodillas. El equivalente del raquitismo en los adultos, una afección denominada osteomalacia, se caracteriza también por la blandura ósea. Entre sus síntomas figuran dolor y sensibilización de los huesos y debilidad muscular.

¿Una ingestión baja de vitamina D puede inducir al desarrollo de la osteoporosis?

Al parecer. «Incluso con deficiencia de estrógeno —asegura un especialista en esta materia—, generalmente considerada como la causa que precipita la osteoporosis, importa obtener la cantidad adecuada de vitamina D para impedir la pérdida ósea asociada con esa enfermedad.»

De hecho, un estudio de los investigadores del Centro de Investigación sobre la Nutrición Humana en el Envejecimiento de la Tufts University en Boston, del Departamento de Agricultura de Estados Unidos, descubrió que mujeres posmenopáusicas que tomaban 400 unidades internacionales de vitamina D (dos veces su ración dietética recomendada) reducían la pérdida ósea invernal y mejoraban la densidad de sus huesos en comparación con mujeres que recibían aproximadamente unas 100 unidades internacionales diarias de vitamina D. Ambos grupos de mujeres tomaban también un complemento diario de calcio. Pero durante el segundo invierno la pérdida ósea del grupo de placebos superó a la de los sujetos que tomaban un complemento de vitamina D.

¿En qué otros casos resulta beneficiosa para el cuerpo?

Una investigación preliminar sugiere que, como la vitamina A, la D puede desempeñar un papel importante en el crecimiento y en la maduración normales de la célula, lo que significa la posibilidad de contribuir a la prevención del cáncer. También parece intervenir en la regulación del sistema inmunológico, lo que podría ser significativo en la prevención y tratamiento de las enfermedades infecciosas.

¿Tiene algún poder de prevención contra el cáncer?

Los investigadores no lo saben con seguridad. Pero las tasas de cáncer de colon, recto y mama son mayores en las zonas donde la población recibe una radiación solar mínima. Esta correlación se encuentra en todo el mundo, excepto en Japón, país donde, señalan los científicos, el consumo de pescado graso rico en vitamina D, como la caballa y el salmón, es muy considerable.

En experimentos de laboratorio, el calcitriol, forma hormonal de la vitamina D, revela propiedades anticancerígenas. Recientemente se ha descubierto que, en experiencias de tubo de ensayo, inhibe el desarrollo de células humanas de cáncer de colon y piel. Es posible que el calcitriol desempeñe también un papel importante en el tratamiento de retinoblastoma, el tumor ocular más corriente en los niños. Asimismo se ha advertido que inhibe el crecimiento de esta clase de tumor en los ratones.

¿La vitamina D desempeña algún papel en la función inmunológica?

Hasta ahora no existe prueba sólida de que así sea. Pero algunos investigadores suponen que una de las razones de que la luz solar resulte beneficiosa para las personas con afecciones como la tuberculosis es que estimula la producción en el cuerpo de vitamina D. Dos estudios en tubo de ensayo han mostrado recientemente que la forma hormonal de la vitamina D, el calcitriol, promueve la creación de macrófagos, células inmunológicas que engullen bacterias. Pero, según un especialista, no se ha investigado lo suficientemente sobre el posible papel de la vitamina D en la función inmunológica de los seres humanos.

¿Qué cantidad de vitamina D suele recibir la mayoría de las personas?

Los estudios muestran que la mayor parte de personas no alcanza la ración dietética recomendada de vitamina D a partir de los alimentos que toman. Los datos del Departamento de Agricultura de Estados Unidos revelan que la mayoría de los varones consigue de los alimentos unas 80 unidades internacionales, y las mujeres, unas 60. En un estudio, varones y mujeres de 63 a 90 años obtenían de la alimentación un promedio diario de 50 unidades internacionales.

Eso parece poco. ¿Compensa la exposición solar la escasa ingestión de vitamina D?

Según un experto en la materia «está bien documentado que en primavera, verano y otoño, la mayoría de las personas reciben suficiente luz solar para compensar las deficiencias de la vitamina D en su dieta. Incluso resulta más que suficiente una mínima exposición debida a las actividades cotidianas, como ir y venir de la oficina o jugar al tenis». Pero durante los meses invernales, los niveles en la sangre de la vitamina D parecen descender. Y no todos los individuos consiguen siquiera el volumen mínimo de radiaciones solares que se precisa.

¿Qué personas corren el riesgo de padecer deficiencia de vitamina D?

Los internados en residencias de ancianos o las personas que no salen mucho de casa no reciben la luz solar precisa para el mantenimiento de los niveles adecuados de vitamina D. «Realizamos un estudio en una residencia de ancianos —explica un especialista en nutrición— y descubrimos que, incluso al final del verano, más del 60 % de los sujetos presentaba niveles bajos de vitamina D en la sangre.»

Además, las personas mayores no elaboran la vitamina D en sus organismos tan bien como los jóvenes. Además es posible que en este grupo de población sea escaso el consumo de alimentos que contengan vitamina D y que tomen productos farmacéuticos que dificulten la absorción o el metabolismo de esta sustancia. Entre esta clase de medicamentos figura la colestiramina (empleada para el control del colesterol y en ciertos casos de diarrea), los aceites minerales y algunos anticonvulsivos.

¿Hay algún otro grupo de la población que sufra el riesgo de padecer deficiencia de la vitamina D?

Sí. Los alcohólicos, que no tomen bastante leche o que no reciban mucho sol, las personas con problemas de absorción y los residentes en áreas poco soleadas. Asimismo, los expertos aseguran que los negros corren también un riesgo mayor al respecto. «Su piel opera como una pantalla natural, así que elaboran menos vitamina D que las personas de piel clara.» Es posible también, añaden, que experimenten dificultades en la digestión de la leche y rehúyan así una gran fuente alimenticia de vitamina D.

¿Plantea problemas la toxicidad de la vitamina D?

Dosis elevadas de esta sustancia pueden ser causa de niveles excesivamente altos de calcio en la sangre. Entre los síntomas figuran la falta de apetito, náuseas, vómitos, estreñimiento y fatiga. Asimismo dosis elevadas pueden determinar la constitución de calcio en los tejidos blandos —músculos—, lo que perjudica su función. La mayoría de los investigadores coincide en señalar que es improbable que tomas inferiores a las mil unidades internacionales diarias causen efectos adversos.

VITAMINA D
Prontuario

Ración dietética recomendada

Para varones y las mujeres de 11 a 24 años, 400 unidades internacionales; para las mujeres de 25 o más años, 200 unidades internacionales.

Fuentes

Pescados grasos (caballa, atún, salmón), hígado, yemas de huevo, leche y cereales fortalecidos.

Signos de deficiencia

En los niños, los huesos se ablandan hasta el punto de curvarse cuando han de soportar el peso del cuerpo. En los adultos, dolores y excesiva sensibilidad de los huesos, así como debilidad muscular.

Posibles problemas de toxicidad

Dosis elevadas de vitamina D pueden ser causa de niveles demasiado altos de calcio en la sangre y de depósitos de calcio en los tejidos blandos. Entre los síntomas cabe señalar falta de apetito, náuseas, vómitos, estreñimiento y fatiga. Es improbable que dosis inferiores a las 1.000 unidades internacionales diarias provoquen efectos adversos.

VITAMINA E

¿Qué es la vitamina E?

Como las vitaminas A, D y K, la vitamina E es soluble en la grasa. Se trata de un aceite amarillo claro que existe en una variedad de formas, tanto naturales como sintéticas. Las más corrientes entre las primeras son el tocoferol alfa y el tocoferol alfa dextrógiro, mientras que las formas sintéticas más comunes son el acetato de tocoferol alfa dextrógiro-levógiro y el tocoferol alfa dextrógiro-levógiro.

Las formas naturales proceden habitualmente del aceite de soja o del trigo germinado, y las sintéticas se derivan del aceite purificado de petróleo. Estas últimas tienen en el cuerpo una actividad biológica algo inferior a la de las formas naturales, pero los investigadores no creen que ello sea un problema. Simplemente significa que las personas necesitan una cantidad mayor de la vitamina E sintética que de la natural para producir el mismo volumen de actividad biológica.

¿Cuál es la ración dietética recomendada de vitamina E?

La ración dietética recomendada es de 15 unidades internacionales (10 miligramos) de tocoferol alfa dextrógiro o 10 equivalentes de tocoferol para los varones; para las mujeres se recomienda la toma de 12 unidades internacionales (8 miligramos) u 8 equivalentes de tocoferol.

¿Qué es un equivalente de tocoferol?

Se trata de una unidad arbitraria de medición que permite comparar y determinar diferentes formas de vitamina E, de distintos niveles de actividad en el cuerpo. Un equivalente de tocoferol es igual a 1 miligramo de tocoferol alfa dextrógiro, que es también una unidad internacional.

¿Qué función realiza la vitamina E?

A diferencia de otras vitaminas que toman parte en las reacciones metabólicas u operan como hormonas, la vitamina E aparentemente sólo actúa como antioxidante.

Pero se trata de un papel importante. Es la primera vitamina de la que se descubrió que actuaba como antioxidante, y considerada la más potente en esta misión. Actúa concertadamente con otros antioxidantes, en especial con la vitamina C y el selenio, un microelemento mineral, para proporcionar protección antioxidante a todo el cuerpo.

Creo haber leído recientemente que la vitamina E puede proteger contra las enfermedades cardíacas. ¿Es cierto?

Sí. Nuevas investigaciones señalan que la vitamina E ejerce un impacto significativo en el desarrollo de las enfermedades cardíacas. Dos amplios estudios —uno consagrado a las mujeres y otro a los varones— mostraron que algunos complementos de vitamina E reducían sustancialmente el riesgo de una afección cardíaca. Estas investigaciones, realizadas por investigadores del Hospital de Brigham y del Women's Hospital de Boston y de la Escuela de Sanidad Pública de Harvard, descubrieron que las personas que recibían diariamente un complemento de vitamina E presentaban un descenso del 40 % en el riesgo de ataques cardíacos en comparación con los individuos que no lo tomaban. La protección máxima fue localizada en el nivel aproximado de 100 unidades internacionales diarias de vitamina E durante más de dos años.

¿Cómo ayuda la vitamina E a prevenir una afección cardíaca?

Su papel más importante puede estribar en impedir la oxidación del colesterol de lipoproteínas de densidad baja que obstruye las arterias. «Parece que una de las primeras etapas en el desarrollo de una enfermedad cardíaca —asegura un experto— es la oxidación del colesterol de lipoproteínas de densidad baja.»

El colesterol de lipoproteínas de densidad baja se deposita en las paredes de los vasos sanguíneos, donde es consumida por una célula inmunológica llamada macrófago. Dentro de la célula se oxida el colesterol de lipoproteínas de densidad baja, y el macrófago se convierte en lo que se ha llamado una célula espumosa, una célula hinchada y cargada de grasa. La afección cardíaca se inicia cuando estas células se acumulan en las paredes de los vasos sanguíneos, bloqueando el paso de la sangre. Al impedir la oxidación del colesterol de lipoproteínas de densidad baja, la vitamina E evita la formación de células espumosas.

¿Es así como opera?

Aguarde... Hay más. La vitamina E también contribuye a prevenir lo que se ha denominado **agregación de trombocitos.** Éstos son componentes sanguíneos en forma de plaquetas que intervienen en la coagulación de la sangre. Pero también pueden provocar, cuando no debieran, la coagulación en los vasos sanguíneos. Una ingestión de cantidades adecuadas de vitamina E impide que los trombocitos se agrupen y adhieran a las paredes de los vasos sanguíneos.

Por añadidura, la vitamina E es capaz de ayudar a prevenir el daño que se produce en los tejidos cuando se interrumpe el torrente sanguíneo para reanudarse después, como podría suceder en el caso de espasmo de un vaso sanguíneo o durante una intervención quirúrgica en que un vaso quede temporalmente saturado. Al retornar el torrente sanguíneo, el oxígeno que aporta provoca una reacción en cadena de los radicales libres, susceptible de dañar al tejido. La vitamina E ayuda a que sea mínimo el perjuicio causado por los radicales libres.

¿Protege la vitamina E contra el cáncer?

Aunque la correlación no sea tan consistente como en el caso de la vitamina C, numerosos estudios de población revelan un nexo entre la vitamina E y el cáncer. Las personas con los niveles más bajos de vitamina E en la sangre tendían a presentar los riesgos más elevados de ciertas clases de cáncer.

Un estudio de los investigadores de la División de Etiología del Cáncer del Instituto Nacional del Cáncer descubrió recientemente que los individuos que tomaban vitamina E como complemento aislado (100 unidades internacionales) presentaban la mitad de riesgo de cáncer oral que los que no recibían ese complemento o sólo tomaban un compuesto multivitamínico, que por lo general sólo contiene 30 unidades internacionales de vitamina E

¿Cómo se cree que contribuye exactamente la vitamina E a la prevención del cáncer?

Los expertos estiman que opera al menos de tres modos. En primer lugar, al proteger a la célula de los radicales libres, la vitamina E evita el cromosomático que puede conducir al cáncer. «Existen pruebas limitadas de que la vitamina E promueva la reparación de un previo daño cromosomático —informa un especialista en nutrición—. Y hay excelentes confirmaciones en estudios realizados con animales de que esta vitamina retrasa el ritmo de mutación de las células y es así capaz de dilatar durante años la aparición del cáncer.»

En segundo lugar, mediante la combinación de ciertos elementos en el intestino, la vitamina E consigue inhibir la formación de carcinógenos, sustancias que pueden determinar cambios celulares que conduzcan al cáncer. Por ejemplo, la vitamina E contribuye a detener la formación en el estómago de nitrosaminas que promueven el cáncer. Estas sustancias se producen durante la digestión de nitratos y nitritos que se encuentran en concentraciones especialmente elevadas de carnes con conservantes.

En tercer lugar, al facilitar la respuesta inmunológica del cuerpo, la vitamina E mantiene alerta un «sistema de detección previa del cáncer». «La presencia de una cantidad adecuada de vitamina E en la sangre —explican los expertos— significa que las células inmunológicas se hallan en un estado vigoroso, dispuestas a atacar a las primeras células cancerosas con que se topen, lo que en realidad constituye su defensa primaria contra el cáncer.»

Tengo entendido que, al parecer, la vitamina E realiza muchas más funciones. ¿Es cierto que se usaba para prevenir una sensibilidad excesiva del pecho, reducir los síntomas del síndrome premenstrual y evitar las cicatrices de quemaduras?

Tiene toda la razón. La vitamina E ha sido recomendada y utilizada para todos esos fines. Pero no son muchos los estudios que respalden su empleo frente a tales dificultades.

En algunas investigaciones la vitamina E pareció proporcionar algún alivio en los cambios fibrocísticos del pecho. En un estudio, 22 de 26 mujeres mejoraron tras tomar diariamente durante ocho semanas 600 unidades internacionales de vitamina E. Pero en otra investigación, la vitamina E no proporcionó más alivio que un placebo.

En dos estudios dosis diarias de 300 a 600 unidades internacionales de vitamina E parecieron resultar útiles respecto de diversos síntomas premenstruales.

Por lo que se refiere a su capacidad para hacer desaparecer las cicatrices, los médicos se muestran en general escépticos, aunque es probable que usted haya oído a muchas personas atestiguar tales beneficios. «Todos esos datos son anecdóticos —asegura un experto—. Conozco a cirujanos que jurarían que lo consigue y que dicen a sus pacientes que aplican la vitamina E en sus suturas. Y centenares de personas me han asegurado que hace milagros. Pero no conozco ningún estudio clínico controlado que haya demostrado que esta sustancia cierre más pronto las heridas o que impida que queden cicatrices.»

¿Existen otros casos en que la aplicación de la vitamina E resulte eficaz?

Está bien probado que la vitamina E desempeña un papel crucial en el funcionamiento normal de los nervios y que su deficiencia puede contribuir a un daño nervioso y a algunas perturbaciones neurológicas.

En un estudio realizado por investigadores canadienses, la vitamina E ayudó a reducir el número de ataques epilépticos en niños. Y se ha demostrado útil en el tratamiento de la perturbación neurológica denominada disquinesia tardía, que constituye un efecto secundario del empleo prolongado de tranquilizantes prescritos para reducir la conducta psicopática.

Dosis complementarias de vitamina E parecen promover el funcionamiento del sistema inmunológico en personas de edad, ayudar a que mantengan un control metabólico los sujetos que padecen una diabetes no dependiente de la insulina, aliviar las llagas bucales en personas que reciben un tratamiento de quimioterapia para el cáncer, y, en los ancianos, parecen reducir al mínimo el daño muscular inducido por radicales libres y asociado con un esfuerzo excesivo.

No ha mencionado el sexo. ¿Es cierto que la vitamina E incrementa la conducta sexual?

Abundan las afirmaciones de que la vitamina E estimula los impulsos sexuales tanto en las mujeres como en los varones, pero no existen pruebas que las respalden.

¿Hay personas que toman dosis muy superiores a la ración dietética recomendada de la vitamina E?

Sí, a veces se han recetado dosis de 100, 400 e incluso 800 unidades internacionales, y en estudios donde se advirtieron los beneficios, la cantidad de vitamina E utilizada superó la ración dietética recomendada.

¿Existe alguna prueba de que estas dosis mayores resultaran nocivas?

Fundamentalmente, se considera a la vitamina E completamente inofensiva, aun cuando se toma en grandes dosis. Pero en la citada investigación de Brigham y Harvard se comprobó que volúmenes superiores a 100 o 400 unidades internacionales no reducían más el riesgo de afección cardíaca, porque las ingestiones que pasaban de las 400 unidades internacionales no incrementan los niveles en la sangre de esta vitamina.

¿Cuáles son las mejores fuentes de la vitamina E?

Los aceites de avellanas, trigo germinado, girasol, almendras, el propio trigo germinado, la salsa mayonesa, los cereales integrales y los huevos.

Pero un estudio reciente de investigadores de la Universidad de California en Berkeley ha descubierto que donde más probablemente se obtiene vitamina E es en la mayonesa y en la ensalada aliñada, en la margarina, los donuts, tortas y bollos, patatas fritas, aceites de ensalada y de cocina, tartas y huevos.

Este estudio también determinó que una de las aportaciones mayores de vitamina E corresponde a los cereales superfortalecidos, que contienen la ración dietética recomendada de la vitamina E. Según esta investigación, sólo un pequeño porcentaje de personas consume esta clase de cereales.

¿Se ingiere la suficiente vitamina E en la dieta diaria?

Este estudio advirtió que la mayoría de las personas no alcanzaba la ración dietética recomendada. Los varones consumen diariamente 7,3 miligramos de equivalentes de tocoferol y las mujeres 5,4. Cantidades inferiores a la ración recomendada. Es probable que las personas de edad y los pobres tomen aún menos vitamina E.

Más todavía, según la opinión de los expertos, no

existe medio alguno de obtener en la dieta diaria las grandes dosis de vitamina E empleadas en las pruebas clínicas. «Es posible que con la dieta se ingieran de 15 a 30 unidades internacionales al día, y las personas que realmente se esfuerzan y consumen gran cantidad de margarina y nueces pueden lograr de 40 a 50 unidades internacionales. Pero sólo con la dieta es difícil superar estos volúmenes.»

En consecuencia, se necesitan compuestos vitamínicos para alcanzar los niveles elevados.

¿Es probable llegar a padecer una deficiencia de vitamina E?

No. Aunque quizá se logren niveles inferiores a lo prudente en términos de prevención de una enfermedad crónica, la mayoría de las personas no desarrolla síntomas de deficiencia de la vitamina E. Resulta difícil inducir tales síntomas en los animales; el fenómeno es desde luego infrecuente, incluso en los países del Tercer Mundo.

¿Qué personas presentan mayor probabilidad de sufrir deficiencia de la vitamina E?

Como ya hemos dicho, no es corriente hallar un caso de deficiencia de la vitamina E. Sin embargo, los que presentan un mayor riesgo son los sujetos que, por una variedad de razones, no absorben normalmente la grasa: prematuros, niños nacidos con muy escaso peso, personas de edad, individuos que siguen dietas muy bajas en grasas y los que sufren una enfermedad hepática crónica o una fibrosis cística.

¿Cuáles son los signos de deficiencia?

En los bebés, irritabilidad, retención de fluidos y anemia. En los adultos, letargo, apatía, incapacidad para concentrarse, ataxia motriz (andar vacilante, pérdida del equilibrio) y anemia.

¿Qué necesito saber acerca de la ingestión de complementos de vitamina E?

La mayoría de los compuestos de vitamina E se presentan en forma de cápsulas de aceite de 200 a 400 unidades internacionales. Cuando esté tomando medicamentos anticoagulantes, no debe consumirlos sin la aprobación de su médico.

Se sabe además que cuanto más aceite vegetal consuma, mayor será su necesidad de vitamina E. Esto es así porque las grasas no saturadas —que contienen muchos aceites vegetales— se oxidan fácilmente en el cuerpo. Al pasar del consumo de productos animales al de aceites vegetales, es posible que se doble la cantidad requerida de vitamina E.

Además, y aunque en general se considere que los aceites vegetales son una buena fuente de vitamina E, un estudio de la Universidad de California en Berkeley descubrió que incluso las personas que consumen grandes cantidades de aceites vegetales no tienen la proporción estimada adecuada entre grasas no saturadas y vitamina E. Los aceites vegetales refinados, como los de maíz u oliva, no son, según los expertos, buenas fuentes de vitamina E. «De hecho, los complementos vitamínicos de fuentes naturales están elaborados a partir de sustancias *eliminadas* durante el tratamiento de aceites vegetales comerciales, como el de soja.»

VITAMINA E

Prontuario

Ración dietética recomendada

Para varones, 15 unidades internacionales o 10 miligramos de equivalentes de tocoferol; para mujeres, 12 unidades internacionales u 8 miligramos de equivalentes de tocoferol.

Fuentes

Aceites de avellana, trigo germinado, girasol, almendras, el propio trigo germinado, mayonesa, cereales integrales, huevos y cereales fortalecidos.

Signos de deficiencia

En los bebés, irritabilidad, retención de fluidos y anemia. En los adultos, letargo, apatía, incapacidad para concentrarse, pérdida del equilibrio, andar vacilante y anemia.

Posibles problemas de toxicidad

Se considera baja la toxicidad. El Consejo de Alimentación y Nutrición admite que hay pocas pruebas de daño con dosis diarias inferiores a las 1.000 unidades internacionales.

VITAMINA K

Sé que la mencionó antes, pero ¿existe realmente la vitamina K?

Es cierto que la denominación alfabética de las vitaminas se salta algunas letras después de la E, pero no se deje engañar por eso. La vitamina K existe, aunque probablemente es una de las vitaminas solubles en grasa menos conocidas. Se le asignó una ración dietética recomendada en fecha tan reciente como 1989. En estado puro se presenta como aceite o en cristales amarillos y con los seres humanos sólo se emplea en su forma natural. Como las vitaminas A, D y E, la K es soluble en grasas.

¿Cuál es la ración dietética recomendada de la vitamina K?

Es una ración muy baja: 80 microgramos diarios para los varones, la cantidad hallada en media taza de berza cocida o menos de media de brécol. Para las mujeres es de 65 microgramos.

¿Qué funciones realiza en el cuerpo la vitamina K?

Los investigadores que descubrieron este elemento nutritivo lo denominaron con la letra K con que se inicia en danés la palabra coagulación. La vitamina K se emplea en el hígado en la elaboración de por lo menos cuatro proteínas importantes para la coagulación de la sangre. Sin ella, un simple corte o rasguño daría paso a una gran hemorragia.

Por lo tanto, si soy deficiente en esta vitamina, sangraré con facilidad durante largo tiempo.

Sí, éste es un indicio de deficiencia. De hecho, los médicos comprueban si existe deficiencia de vitamina K con un análisis que mide el tiempo que tarda en coagular la sangre de una persona, se conoce como tiempo protrombínico. Pero tenga en cuenta que hay otros factores, además de una deficiencia de la vitamina K, que pueden dificultar la coagulación de la sangre.

¿Qué otras funciones realiza la vitamina K en el cuerpo humano además de la coagulación de la sangre?

Un especialista en nutrición asegura que esta vitamina interviene también en la producción de otras dos proteínas, una relacionada con el metabolismo óseo y la otra con la función renal. «No estamos todavía seguros, sin embargo, acerca del modo en que una deficiencia de la vitamina K pueda afectar a estos órganos.»

En un estudio de investigadores holandeses, grandes complementos diarios de 1 miligramo de vitamina K parecieron mejorar el nivel del calcio de mujeres posmenopáusicas. Aumentaba los niveles en la sangre de una proteína portadora de calcio, la osteocalcina, a la que se cree participante en la construcción ósea. También disminuía la eliminación de calcio por la orina.

¿Qué personas corren alguna clase de riesgos por su deficiencia?

La falta de vitamina K no es corriente. Su déficit se da sobre todo en personas con una absorción de grasas defectuosa, en las que sufren diarreas prolongadas o en las gravemente enfermas. También puede aparecer en recién nacidos y en niños prematuros.

¿Qué sucede con las personas gravemente enfermas?

El proceso típico —y ocasionalmente fatal— lo sufren las personas internadas en hospitales que toman antibióticos para prevenir o superar infecciones y cuya dieta no incluye la vitamina K. Los antibióticos eliminan las bacterias intestinales, que normalmente pueden sintetizar algo de vitamina K. Así que se encuentran agotadas las reservas de esa sustancia. Es posible que estos individuos experimenten hemorragias estomacales o intestinales o que se desangren irremisiblemente si sufren una intervención quirúrgica. Por esa razón resulta preciso comprobar el tiempo de coagulación antes de proceder a una operación.

¿Cómo se trata a esas personas?

Según los expertos, a menudo requieren inyecciones o complementos de este nutriente hasta que el tiempo de coagulación se normaliza.

Puesto que el tiempo de coagulación se halla afectado por una deficiencia de la vitamina K, ¿qué me dice de las personas que toman anticoagulantes?

Los complementos de vitamina K no se administran habitualmente a las personas que están tomando productos anticoagulantes, ya que contrarrestarían el efecto de estos medicamentos. De hecho, es posible que un exceso de vitamina K en su dieta sea una de las razones de que a veces resulte difícil regular tales productos. Las personas que toman anticoagulantes, afirman los expertos, harán bien en mantener constante su ingestión de alimentos ricos en vitamina K para que resulte eficaz su dosis de anticoagulante.

Ha hablado de los recién nacidos y los prematuros, ¿por qué son deficientes en vitamina K? ¿Tienen por esta razón problemas hemorrágicos? ¿Qué se hace al respecto?

«Aparentemente los bebés presentan bajos niveles de vitamina K —explica el doctor Walter Morales, director de medicina maternal/fetal en el Arnold Palmer Hospital para Mujeres y Niños de Orlando, Florida— porque esta sustancia no se transfiere fácilmente de la madre al feto.»

Sólo cuando una madre recibe gran cantidad de vitamina K (mediante inyecciones), ésta cruza la barrera de la placenta para proporcionar protección al niño. Los recién nacidos reciben una inyección de vitamina K poco después de llegar a la *nursery*, práctica que, según los especialistas, ha reducido espectacularmente el número de fallecimientos por hemorragia cerebral tras el parto.

¿Qué riesgos corren los prematuros?

Estos niños presentan un riesgo elevado de hemorragia cerebral durante el parto, porque sus vasos sanguíneos resultan demasiado frágiles para soportar las alteraciones de la tensión sanguínea que se producen en ese trance. Por ello, actualmente, algunos médicos aplican inyecciones de vitamina K a las mujeres con riesgo elevado de tener niños prematuros.

En un estudio llevado a cabo por el doctor Morales, la hemorragia cerebral sólo se presentó en el 11 % de los bebés de madres que habían recibido esta clase de inyecciones, en comparación con el 36 % de los niños nacidos de mujeres que no las recibieron. Y ninguno de los bebés que consiguieron vitamina K a través de sus madres tuvo una grave hemorragia cerebral. «Como no existen efectos secundarios en este tratamiento —declara el doctor Morales— optamos por lo seguro.»

Este médico utiliza la vitamina K en cualquier embarazo del que se espere el parto en 30 semanas o menos y administra la vitamina K al menos cinco horas antes del momento previsto del parto para asegurarse de que la sustancia tenga tiempo de cruzar la placenta y llegar a la sangre del feto.

¿Qué alimentos son ricos en vitamina K?

Las verduras de hojas verde oscuro son las que presentan mayor volumen de esta sustancia. El bretón posee unos 1.000 microgramos por taza; las espinacas, aproximadamente 630, y los nabos frescos, 440 microgramos. Dos cucharadas de perejil fresco picado contienen unos 7 microgramos.

El brécol, las coles de Bruselas, la col china, la lechuga y el berro son también alimentos con un nivel considerable de vitamina K. Resultan fuentes aceptables la col corriente, las zanahorias, el aguacate, el pepino, el puerro, los tomates y los productos lácteos, así como los aceites de plantas verdes (el de oliva y soja). Las carnes y los cereales también contienen vitamina K, aunque en niveles no muy altos.

Existe una variedad de alimentos —los productos lácteos, los aceites vegetales, las carnes y los cereales— que brindan cierta cantidad de vitamina K. En consecuencia, los expertos coinciden en señalar que, aunque en la dieta diaria no entren manjares que sean fuentes excelentes de este elemento, las personas poseemos un nivel aceptable de esta vitamina.

¿Resulta accesible la vitamina K como complemento?

Se encuentra en algunos complementos multivitamínicos bastante caros. Por lo común, se menciona en la etiqueta como filoquinona, su forma natural.

Pero los complementos exclusivos de esta vitamina sólo se expenden con receta. Los expertos recomiendan como seguro y deseable, para quienes corran riesgo de deficiencia, un complemento diario de 50 a 100 microgramos. Añaden que, aun siendo bajo el riesgo de toxicidad de la vitamina K, las personas que presenten un déficit de la misma en su organismo deben ser tratadas por un médico.

VITAMINA K
Prontuario

Ración dietética recomendada

Para varones, 80 microgramos; para mujeres, 65 microgramos.

Fuentes

Verduras de hojas verde oscuro como bretón, espinacas y perejil; brécol, coles de Bruselas, col china, lechuga, berro, zanahorias, aguacates, pepinos y puerros; aceites de oliva y de soja. Las carnes y los cereales también contienen cierta cantidad de vitamina K.

Signos de deficiencia

Tiempo prolongado de coagulación, propensión a hemorragias y magulladuras, frecuentes hemorragias nasales.

Posibles problemas de toxicidad

Grandes cantidades procedentes de alimentos o de complementos pueden dificultar la acción de las drogas anticoagulantes.

9
MINERALES

CALCIO

¿Qué es el calcio?

Un elemento metálico blanco plateado que se encuentra en sustancias tan corrientes como la tiza, el granito, la cáscara de huevo, las conchas de moluscos, el agua, los huesos y la piedra caliza. El cuerpo de un adulto de unos 70 kilos de peso contiene cerca de kilo y medio de calcio, el mineral más abundante en el organismo.

¿En qué alimentos se encuentra el calcio?

La leche y los productos lácteos, como el queso y los helados, son las fuentes más ricas. El bretón, los nabos frescos, las algas yodíferas, el tofu,[2] las conservas de salmón y sardinas (con espinas) y las semillas de soja también contienen niveles altos de calcio. Sin embargo, en Estados Unidos, por ejemplo, la mayor parte de la población no toma estos alimentos en cantidades suficientes para alcanzar la ración dietética recomendada de 800 miligramos de calcio.

¿Qué papel desempeña el calcio en el organismo?

Su tarea más conocida es la construcción de los huesos y los dientes. En unos y otros se encuentra el 99 % del calcio del cuerpo. Pero resulta también esencial, entre otras cosas, para la transmisión nerviosa, la contracción muscular, los latidos cardíacos, la coagulación de la sangre, la producción de energía y el mantenimiento de la función inmunológica.

¿El calcio es el mineral encargado de mantener la dureza de los huesos y los dientes?

Sí, no es el único mineral que interviene en este proceso, pero resulta importante. Los huesos se hallan constituidos por células y fibras encajados en una matriz mineral, principalmente de cristales de fosfato de calcio, junto con magnesio, sodio y microelementos minerales. Los huesos experimentan cambios a lo largo de la vida. Es posible que su organismo extraiga calcio de los huesos con el fin de mantener niveles adecua-

2. Queso vegetal, procedente de China y elaborado a base de leche de soja y cloruro magnésico. (*N. del T.*)

dos en el torrente sanguíneo. El calcio puede ser suministrado también a los huesos a lo largo de toda su vida, aunque la eficacia de la construcción ósea sólo sea máxima hasta los treinta años, después tiende a disminuir la densidad de los huesos.

Los huesos se debilitan con la edad, pero ¿puedo conseguir a lo largo de mi vida calcio suficiente para evitar que esto suceda?

La condición a la que alude es la osteoporosis, literalmente huesos porosos. A algunas personas, en especial mujeres posmenopáusicas, afectadas gravemente de osteoporosis se les rompen los huesos bajo el peso del propio cuerpo.

Las investigaciones revelan que la obtención de suficiente calcio hasta los treinta años puede contribuir a evitar esta enfermedad al permitir que los huesos alcancen una densidad máxima. Luego, cuando pierdan paulativamente esta condición, es menos probable que se debiliten hasta el punto de fracturarse.

¿Cree que es conveniente tomar complementos de calcio en una etapa posterior de la vida?

Ciertas investigaciones también muestran que la obtención de grandes cantidades de calcio en una etapa ulterior de la vida contribuye a retrasar la pérdida ósea asociada con la osteoporosis. En un estudio realizado con mujeres posmenopáusicas, un suplemento diario de calcio de 1.000 miligramos redujo la pérdida de densidad mineral de los huesos en un 43 % en comparación con el grupo que recibía placebos. La tasa de pérdida ósea en las piernas disminuyó en un 35 % y en la columna vertebral se detuvo. Éste es un hallazgo importante porque muchas de las fracturas relacionadas con la osteoporosis corresponden a pequeñas roturas en la columna vertebral.

En otro estudio, mujeres que tomaron una combinación de 1.200 miligramos de calcio y 20 microgramos de vitamina D presentaron una reducción del 70 % en el riesgo de fracturas de cadera tras 18 meses de aplicación del complemento.

Tengo entendido que una cantidad adicional de calcio en la dieta puede contribuir a evitar los calambres musculares, y también los de carácter menstrual. ¿Es cierto?

El calcio interviene en el proceso de contracción y relajación muscular y una deficiencia de este mineral puede causar graves espasmos musculares. Los tocólogos recetan a veces calcio adicional a las embarazadas que se quejan de calambres en las piernas.

En ocasiones se recomienda el calcio, junto con el magnesio, para aliviar tanto los calambres menstruales como los síntomas asociados con el síndrome premenstrual. Un reciente estudio de investigadores del Departamento de Agricultura de Estados Unidos señala que el calcio alivia realmente algunos de estos síntomas. En ese estudio, mujeres que recibieron 1.300 miligramos diarios de calcio dieron cuenta de menos problemas respecto de los cambios de humor o la capacidad para concentrarse que las que sólo tomaron 600 miligramos de calcio. Por añadidura, las que tomaron una cantidad adicional se quejaron de menos dolores y molestias durante la menstruación.

¿Existe alguna investigación que demuestre que el calcio contribuye a prevenir el cáncer de colon?

Varios estudios indican que las personas que obtienen mucho calcio en su dieta presentan una probabilidad inferior de desarrollar cáncer de colon que aquellos que sólo toman pequeñas cantidades. Según estas investigaciones, varones que consiguen diariamente el equivalente en calcio de taza y media de leche presentan un riesgo de cáncer de colon y recto tres veces superior al de los que reciben una cantidad de calcio equivalente a cuatro tazas y media diarias de leche.

¿Cómo previene el calcio el cáncer de colon?

El calcio puede combinarse con los ácidos de la bilis en el colon, reduciendo la irritación intestinal. Y en experimentos en tubo de ensayo, el calcio es capaz de normalizar el crecimiento de las células que revisten las paredes del intestino, de tal modo que inhibe la clase de desarrollo celular que puede conducir al cáncer. En la actualidad se llevan a cabo varios estudios para ver si cabe reducir con grandes cantidades de calcio —hasta 3 gramos diarios— el desarrollo de pólipos intestinales potencialmente cancerosos en personas con un riesgo elevado de cáncer de colon.

¿Qué otras funciones realiza el calcio en nuestro organismo?

En varios estudios, los complementos de calcio han proporcionado una modesta reducción de la tensión sanguínea —unos cinco puntos— en pacientes hipertensos. En una de estas investigaciones, se observó que los sujetos que consumían al menos 1.000 miligramos de calcio al día —el equivalente de tres raciones de productos lácteos— disminuían en un 12 % su riesgo de tensión alta. En ese estudio, se determinó que los sujetos que más beneficios obtuvieron de una dieta elevada en calcio fueron los que tenían cuarenta años o menos, eran delgados y no tomaban más de una bebida alcohólica al día (el alcohol consume el calcio del organismo).

Si se administra calcio antes y durante el embarazo, se puede prevenir la hipertensión inducida por este estado, condición peligrosa tanto para la madre como para el feto. Una dosis diaria de 2 gramos disminuyó el riesgo de hipertensión durante el embarazo hasta un 10 %, en comparación con la disminución de un 15 % presentada en un grupo de mujeres que recibieron placebos.

Según afirman algunos expertos, la ingestión adecuada de calcio es asimismo capaz de proteger a las personas expuestas a los efectos del plomo. La absorción de esta sustancia queda bloqueada por el calcio en los intestinos.

¿Cuánto calcio obtiene cada día la población?

Los varones salen mejor librados que las mujeres, puesto que su dieta superior en calorías proporciona más minerales. Los estudios indican que cerca del 10 %

de las personas obtienen menos del 50 % de la ración dietética recomendada. Un 60 % de las mujeres de edades comprendidas entre los 35 y los 74 años no alcanza los dos tercios de la ración dietética recomendada.

¿Se ha postulado superar la ración dietética recomendada de calcio?

Sí. En 1984, un equipo especial de los Institutos de la Salud formuló estas recomendaciones: mujeres premenopáusicas, 1.000 miligramos diarios de calcio; mujeres posmenopáusicas que no tomen un sustitutivo de estrógeno, 1.500 gramos; mujeres posmenopáusicas que reciban estrógeno, 1.000 miligramos diarios de calcio.

¿Cuáles son los signos de la deficiencia del calcio?

Anormalidad en los latidos del corazón, dolores y calambres musculares, letargo, envaramiento y cosquilleo de las manos y los pies, y demencia.

¿Qué grupo de población presenta más probabilidades de ser deficiente en calcio?

Las personas que evitan los productos lácteos, así como las que siguen dietas bajas en calorías o muy elevadas en proteínas o en fibra; los sujetos que beben bastante alcohol y los que consumen antiácidos que contengan aluminio, puesto que esta sustancia inhibe la absorción de calcio.

CALCIO
Prontuario

Ración dietética recomendada

Para varones y mujeres, 800 miligramos. Los Institutos Nacionales de la Salud han formulado estas recomendaciones especiales: mujeres premenopáusicas, 1.000 miligramos diarios de calcio; mujeres posmenopáusicas que no tomen un sustitutivo de estrógeno, 1.500 miligramos; mujeres posmenopáusicas que reciban estrógeno, 1.000 miligramos diarios de calcio.

Fuentes

Leche y productos lácteos —queso y el mantecado helado—, bretones, nabos frescos, algas yodíferas, tofu, conservas de salmón y sardinas (con espinas) y semillas de soja.

Signos de deficiencia

Anormalidad de los latidos del corazón, dolores y calambres musculares, letargo, envaramiento y cosquilleo en las manos y los pies, demencia.

Posibles problemas de toxicidad

Se consideran dosis seguras hasta los 2.500 miligramos al día. Cabe prevenir trastornos gastrointestinales —naúseas, gases y estreñimiento— tomando fracciones de dosis con las comidas o recurriendo al gluconato o el lactato de calcio, las dos formas más solubles. Los primeros síntomas de una elevada concentración de calcio en la sangre —vómitos, náuseas, pérdida del apetito— sólo se presentan en las personas que hayan tomado grandes dosis de esta sustancia, 25.000 miligramos o más. Los altos niveles de calcio en la sangre rara vez se producen sólo como resultado de la ingestión de esta sustancia.

¿Es cierto que si se bebe mucha leche, se propicia la aparición de cálculos renales?

No. Antes se creía que los cálculos renales podían constituir un efecto secundario de una dieta elevada en calcio, porque la mayoría de estas concreciones minerales lo poseen. Pero un reciente estudio mostró que los varones con dieta de contenido más alto en calcio sólo presentan un tercio del riesgo de desarrollo de cálculos renales respecto de los individuos con dieta baja en calcio. Una alimentación elevada en calcio obliga a eliminar oxalato, un componente de los cálculos renales que, según afirman los expertos, puede revelarse en este aspecto más importante que el calcio.

CROMO

¿Qué es el cromo?

Es un microelemento esencial mineral y al mismo tiempo un metal empleado para revestir los brillantes parachoques de los coches.

¿En qué alimentos se encuentra?

Las fuentes más ricas conocidas son el hígado, la levadura de cerveza y ciertas especias, como la pimienta negra y el tomillo. Asimismo la carne de vaca y de aves, el brécol, los cereales integrales, el salvado, el trigo germinado y las ostras contienen niveles bastante altos de este mineral.

¿Que papel desempeña el cromo en el organismo?

El cuerpo lo necesita para poder quemar azúcar y obtener energía, un proceso denominado metabolismo de la glucosa. Las personas con hipoglucemia o escasa cantidad de azúcar en la sangre o con una condición denominada resistencia a la insulina, muestran un mejoramiento del metabolismo de la glucosa cuando reciben 250 microgramos de cromo. Esto ayuda a mantener estable el nivel de azúcar en la sangre y a prevenir así un daño provocado por niveles elevados de azúcar en los vasos sanguíneos y en el corazón y los riñones.

En el cuerpo el cromo se convierte en parte de una enzima llamada factor de tolerancia de glucosa. Este compuesto promueve la respuesta del organismo a la insulina, ayudando a trasladar la glucosa a las células donde puede ser quemada para obtener energía. El factor de tolerancia de glucosa se encuentra también en la levadura de cerveza y se considera la forma biológicamente más activa y absorbible de cromo.

¿Se puede afirmar entonces que, si la dieta tiene una cantidad adecuada de cromo, se puede prevenir la diabetes?

Hasta ahora no existe prueba directa de que el cromo contribuya a prevenir la diabetes o de que sirva para aliviarla cuando ya existe. Sin embargo, la resistencia a la insulina y la hipoglucemia son a menudo signos previos de diabetes y se ha demostrado que el cromo resulta beneficioso en ambas condiciones.

¿Qué otras funciones realiza el cromo en nuestro organismo?

En un estudio, complementos diarios de 250 microgramos de cromo mejoraron los niveles de colesterol en sangre, elevando el de tipo sano para el corazón (lipoproteínas de densidad alta) y reduciendo los triglicéridos.

Y en un estudio que aún no ha sido repetido, una forma de cromo creada en laboratorio y denominada picolinato crómico prolongó en un año el promedio de vida de unas ratas. Puede que esto no parezca mucho, pero representa un aumento del 36 % en la existencia normal de este animal, el equivalente de un varón o de una mujer que alcanzara 110 años. El nivel de azúcar y hemoglobina en la sangre de las ratas que recibieron un complemento de cromo era más bajo que el de otras pertenecientes al grupo de control. Los investigadores suponen que el complemento de cromo proporciona algunos de los mismos beneficios de la reducción de glucosa, como la restricción de calorías, eliminando enfermedades degenerativas renales y cardíacas. La limitación de calorías es hasta ahora el único método que ha demostrado en experimentos de laboratorio su eficacia para prolongar consistentemente el promedio de vida en animales.

El picolinato de cromo es accesible como complemento.

¿Se obtiene cromo suficiente en la dieta?

La ingestión de cromo en la dieta está cifrada en menos de 50 microgramos al día, cantidad mucho más baja que la que se ha demostrado beneficiosa en los estudios realizados y que se encuentra en el extremo inferior de la gama adecuada. Los cereales y aceites refinados exigen cromo para su metabolismo, pero no lo contienen. Así que agotan las reservas de esta sustancia en el organismo.

CROMO
Prontuario

Ración dietética recomendada

No existe ración dietética recomendada, pero hay una ingestión dietética diaria estimada segura y adecuada de 50 a 200 microgramos diarios, para varones y mujeres.

Fuentes

Hígado, levadura de cerveza, pimienta negra, tomillo, carne de vaca y de ave, brécol, cereales integrales, salvado, trigo germinado y ostras.

Signos de deficiencia

Intolerancia para la glucosa, pérdida de peso, síntomas semejantes a los de la diabetes.

Posibles problemas de toxicidad

Se sabe poco acerca de los posibles efectos tóxicos del cromo, incluso se desconoce en qué cantidad resulta excesivo. Formas biológicamente activas del cromo, como el factor de tolerancia a la glucosa, encontrado en la levadura de cerveza, y el picolinato crómico se absorben mucho mejor que el cloruro de cromo, el tipo más a menudo hallado en los complementos.

Aunque los diabéticos pueden beneficiarse de ciertos complementos de cromo, es posible que como resultado cambien sus requerimientos de insulina. En consecuencia, el empleo de complementos ha de ser supervisado por un médico.

COBRE

¿Qué es el cobre?

Es un microelemento mineral esencial. Es el mineral parduzco que antaño se empleó para fabricar moneda fraccionaria (ahora se utiliza fundamentalmente el cinc). En el organismo, el cobre se combina con proteínas u otros metales, como el hierro o el cinc, para crear compuestos químicos que poseen una actividad biológica.

¿En qué alimentos se encuentra cobre?

Las fuentes mejores son el hígado de vaca o de pollo, los cangrejos, nueces, semillas, manteca de cacahuete, frutas, ostras, riñones y alubias.

¿Qué papel desempeña el cobre en el organismo?

Como el hierro, el cobre resulta necesario para la formación de los glóbulos rojos y también contribuye a llevar y almacenar hierro. Es preciso para crear colágeno, el tejido conjuntivo empleado en la constitución de huesos, cartílagos, piel y tendones. Ayuda a producir la melanina, un pigmento que proporciona color a la piel y el cabello (en los animales, la pérdida de pigmentación de la piel representa signo de deficiencia de cobre).

El cobre actúa también en el cuerpo como antioxidante y antiinflamatorio y existen algunas indicaciones de que contribuye a prevenir las afecciones cardíacas y el cáncer.

Caramba. Eso es mucho. Empecemos con la formación de la sangre. ¿Causa anemia la deficiencia de cobre del mismo modo que la de hierro?

Así lo afirman los expertos. Como el hierro necesita cobre para producir hemoglobina, la proteína que transporta el oxígeno en la sangre, la deficiencia de cobre puede conducir a una clase de anemia muy semejante a la causada por la del hierro, sin embargo se diagnostica poco, quizá porque se confunde con esta última o porque es posible que las dos clases de anemia se presenten al mismo tiempo. Ya en la década de los veinte se advirtió que la anemia por deficiencia de hierro se supera con mayor rapidez administrando simultáneamente hierro y cobre.

Si el cobre resulta necesario para la formación de tejido conjuntivo, ante una deficiencia de este mineral en el organismo, ¿qué consecuencias sufren los huesos, la piel y otros tejidos?

En los animales la deficiencia de cobre conduce a toda clase de afecciones de los vasos sanguíneos y de los huesos, incluyendo aneurismas (debilitamiento de las paredes de los vasos sanguíneos, que puede provocar su estallido), ruptura del corazón, hemorragias de la superficie ósea y fracturas de los huesos. También es capaz de provocar perturbaciones pulmonares, una estructura defectuosa de la lana o del pelo, degeneración del sistema nervioso y hemorragias internas. En los seres humanos se ha ligado la deficiencia de cobre con fracturas óseas, hemorragias y debilidad de las paredes de los vasos sanguíneos, además de algunas clases de aneurismas.

Ha dicho que el cobre puede contribuir a prevenir el cáncer, ¿cómo?

No existe prueba directa de que complementos de cobre contribuyan a proteger del cáncer a los seres humanos. Pero varios estudios sobre animales sugieren que este mineral puede ayudar en la defensa contra el cáncer. En una de estas investigaciones, complementos de cobre protegieron a ratas de cáncer provocado por sustancias químicas. Asimismo se observó en otro estudio que el mineral defendió a unos pollos de una clase de cáncer inducido por virus. Se supone que el cobre, al igual que las vitaminas C y E, actúa como antioxidante para neutralizar los radicales libres que intervienen en los procesos de promoción del cáncer. El cobre es parte de una importante enzima antioxidante, dismutasa de peróxido de cobre-cinc, así como del antioxidante llamado ceruloplasmina, que tiene propiedades antioxidantes y antiinflamatorias y tal vez desempeñe un papel en las reacciones del organismo ante condiciones inflamatorias como la artritis reumatoide.

¿Cómo interviene el cobre a la hora de prevenir afecciones cardíacas?

Según una investigación llevada a cabo por el doctor Leslie Klevay del Centro de Investigación sobre Nutrición Humana del Departamento de Agricultura de Estados Unidos en Grand Forks, Dakota del Norte, se han asociado las deficiencias de cobre con cambios desfavorables en las grasas de la sangre, un descenso significativo en el colesterol beneficioso para el corazón (lipoproteínas de densidad alta) y, en algunos estudios, con un incremento del colesterol de lipoproteínas de densidad baja que obstruye las arterias. En los animales, la ingestión baja de cobre está además asociada con el debilitamiento y ruptura del músculo cardíaco.

¿El cobre actúa de alguna forma beneficiosa contra la artritis reumatoide?

Los que padecen artritis reumatoide recurren a veces a las pulseras de cobre en un intento por aliviar los síntomas de la enfermedad pero, según los especialistas, no está clara la relación entre la situación del cobre en el cuerpo y esta clase de artritis inflamatoria.

Sí se sabe que, durante una inflamación o una infección, el organismo moviliza dos enzimas portadoras de cobre, la dismutasa de peróxido y la ceruloplasmina. En personas con artritis reumatoide, por ejemplo, los niveles de ceruloplasmina se elevan de dos a tres veces. También asciende el nivel de fluido dentro de las articulaciones inflamadas.

Esto ha inducido a los investigadores a suponer que el ceruloplasma ejerce una función importante, ayudando a que sean mínimos los daños asociados con condiciones inflamatorias crónicas, como la artritis reumatoide.

Pero no resulta evidente la conexión precisa, puesto que los enfermos de artritis reumatoide no parecen ser deficientes en cobre. «Es posible —señala un experto en nutrición humana— que algunas personas con artritis reumatoide tengan una necesidad de cobre superior a la normal.»

De esta forma algunos profesionales que estudian los efectos del cobre recomiendan la ingestión de muchos alimentos ricos en este mineral o tomar tabletas multivitamínicas o minerales que contengan 2 miligramos de cobre.

¿Se obtiene cobre suficiente de la dieta?

Las encuestas dietéticas revelan que una tercera parte de la población consigue menos de un miligramo diario de cobre y que aproximadamente dos terceras partes obtienen menos de miligramo y medio, que es el límite inferior de la cantidad sugerida a los adultos.

¿Cuáles son los signos de deficiencia?

Entre los síntomas figuran la anemia, la palidez, afecciones óseas y del tejido conjuntivo, perturbaciones del metabolismo de grasas en la sangre, pelo de «estropajo metálico», hemorragias internas, dificultades en la regulación de la temperatura, convulsiones, defectuosa tolerancia a la glucosa, aumento de la tensión e irregularidades del pulso.

COBRE
Prontuario

Ración dietética recomendada

No existe ración dietética recomendada, pero la ingestión dietética diaria estimada segura y adecuada para adultos es de 1,5 a 3 miligramos.

Fuentes

Hígado de vaca o de pollo, cangrejos, chocolate, semillas de girasol, sésamo y amapola, nueces, manteca de cacahuete, frutas, ostras, riñones y alubias.

Signos de deficiencia

Anemia, palidez, afecciones óseas y del tejido conjuntivo, perturbaciones del metabolismo de grasas en la sangre, pelo de «estropajo metálico», hemorragias internas, dificultades en la regulación de la temperatura, convulsiones, defectuosa tolerancia a la glucosa, aumento de la tensión y anomalías del pulso.

Posibles problemas de toxicidad

Los expertos dicen que es inocua una ingestión ocasional de hasta 10 miligramos diarios, pero que la recepción de cobre en períodos prolongados de tiempo ha de corresponder de 2 a 3 miligramos diarios. Las personas que padecen la enfermedad de Wilson, una afección genética caracterizada por sobreacumulación de cobre, no deben tomar complementos de esta sustancia.

YODO

¿Qué es el yodo?

Un elemento no metálico, gris negruzco, esencial para una buena salud. Aislado en condiciones de laboratorio, es un gas, pero en su estado natural sólo aparece como compuesto líquido o sólido.

¿En qué alimentos se encuentra el yodo?

Las fuentes más ricas son las algas marinas (las yodíferas), el pescado, las quisquillas, el bogavante, almejas, ostras, las glándulas tiroides de los animales y la sal yodada.

¿Qué papel desempeña el yodo en el organismo?

El yodo es necesario para la formación de dos hormonas producidas por la glándula tiroides, la mayor de las glándulas endocrinas del cuerpo, localizada en las partes frontal y laterales del cuello en torno de la laringe. La glándula tiroides produce hormonas que son cruciales para el crecimiento, la reproducción, la formación de nervios y la salud mental, la constitución de huesos, la elaboración de proteínas y los procesos oxidantes de la célula. Estas hormonas son los principales reguladores del metabolismo energético en el cuerpo.

¿Cuáles son los signos de la deficiencia del yodo?

Fatiga crónica, apatía, sequedad de la piel, intolerancia al frío, aumento de peso y agrandamiento del tiroides, condición conocida como bocio que, en Estados Unidos, solía ser bastante corriente hasta que en la década de los años veinte se hizo obligatorio el fortalecimiento de la sal con yodo.

¿Se emplea el yodo para tratar alguna enfermedad?

Naturalmente. El yodo se utiliza para el tratamiento del bocio, asimismo se emplea para prevenir los daños por radiación en la glándula tiroides.

¿Daños por radiación? ¿Se refiere a los rayos X?

No, a los daños consecuentes de un accidente nuclear o de un posible conflicto atómico. Tras tales eventualidades se desprenden en el ambiente compuestos de yodo, yoduros, que pueden penetrar en el organismo y acumularse en la glándula tiroides, donde permanecen durante un período de tiempo que varía según los casos. El yoduro radiactivo es susceptible de provocar cáncer de tiroides. Pero si se fortalece esta glándula con yodo no radiactivo antes o tan pronto como sea posible después de un accidente nuclear, es posible reducir prácticamente a cero la recepción de yoduros radiactivos por parte del tiroides.

¿Se emplea el yodo en el tratamiento de otras afecciones?

Algunos investigadores consideran que los problemas fibrocísticos del seno —hinchazón y apelmazamiento dolorosos previos a la menstruación— son resultado de una deficiencia de yodo. Y un estudio canadiense descubrió que la mayoría de las mujeres con senos doloridos e hinchados experimentaban un alivio completo de sus síntomas tras un tratamiento de yoduro durante cuatro meses. Pero la mayoría de los médicos juzgan necesarias más investigaciones en ese campo antes de poder recomendar el yodo para el tratamiento de este problema.

Algunos compuestos que contienen esta sustancia, como el yoduro potásico sobresaturado, resultan eficaces para desintegrar las mucosidades coaguladas en los bronquios. Mas se trata de medicamentos que requieren prescripción facultativa.

El yodo es también un antiséptico. Los excursionistas emplean frecuentemente tabletas de yodo para desinfectar el agua.

¿Existe algún peligro de toxicidad?

Diferentes formas de yodo poseen grados distintos de toxicidad. El yodo elemental —que es el que se vende como antiséptico— es completamente tóxico. Han muerto personas por tomar más de dos gramos de yodo elemental. Los complementos contienen una forma menos tóxica, por lo general yoduro potásico, bien aislada o en combinación con otros minerales y vitaminas. La ingestión de varios miligramos de cualquier clase de yodo puede causar problemas en el tiroides o inflamación de las glándulas salivales.

¿Qué personas corren el riesgo de padecer deficiencia de yodo?

En Estados Unidos es rara la deficiencia de yodo porque la población consume mucha sal y, en su mayor parte, ésta se encuentra yodada. Pero las personas que limitan su ingestión de sal y no comen mucho pescado tal vez se beneficien de un complemento de yodo.

YODO
Prontuario

Ración dietética recomendada

Para varones y mujeres, 150 microgramos.

Fuentes

Algas yodíferas, pescado, quisquillas, bogavante, almejas, ostras, glándulas tiroides de animales y sal yodada.

Signos de deficiencia

Fatiga crónica, apatía, sequedad de la piel, intolerancia al frío, aumento de peso y agrandamiento del tiroides.

Posibles problemas de toxicidad

El yodo elemental —el empleado como antiséptico— puede ser mortal incluso en dosis de sólo 2 gramos. Se ha relacionado la ingestión diaria de varios miligramos de compuestos de yodo con problemas del tiroides o con inflamación de las glándulas salivales.

HIERRO

¿Qué es el hierro?

El elemento principal del planeta, ya que constituye el 35 % del interior de la Tierra. El hierro y sus aleaciones, como el acero, son sustancias muy conocidas. En el organismo, interviene en la producción de energía y en otras funciones importantes.

¿En qué alimentos hay hierro?

Las mejores fuentes de este mineral son el hígado, carnes, alubias, nueces, frutos secos, aves, pescados, cereales integrales o enriquecidos y la mayor parte de las verduras de hojas verde oscuro. Cerca del 25 % del hierro que se obtiene diariamente procede de los alimentos enriquecidos.

¿Qué papel desempeña el hierro en el cuerpo?

El hierro transporta el oxígeno por todo el organismo, y como las células necesitan oxígeno para producir energía, el hierro constituye el puntal de la producción energética. Es parte de la hemoglobina, la proteína que lleva oxígeno a los glóbulos rojos. También es un constituyente de las proteínas portadoras de oxígeno para los músculos. Interviene en la elaboración de las hormonas del tiroides (reguladoras de muchos procesos metabólicos), en la producción de tejido conjuntivo, en el mantenimiento del sistema inmunológico y en la creación y control de varios neurotransmisores cerebrales. Se han relacionado los niveles bajos de hierro con la anemia, la fatiga, la aceleración del pulso, el jadeo, la incapacidad para concentrarse, las perturbaciones del sueño, varios dolores y hemorragias menstruales y la pérdida del cabello.

Creo que dijo antes que el oxígeno es nocivo para el organismo, sin embargo ahora dice que es un elemento clave en la producción de energía, ¿cómo explica esto?

Las reacciones oxidantes son cruciales en la vida, pero pueden resultar nocivas si van más allá de lo necesario para la producción de energía. Así pues, el hierro tiene su lado sombrío. El oxígeno es capaz de generar radicales libres que, como recordará, son susceptibles de dañar a las células privándolas de electrones. Un exceso de hierro en el organismo significa demasiado oxígeno disponible que puede dar lugar a un efecto perjudicial de los radicales libres.

¿Cómo es posible acabar teniendo demasiado hierro en el organismo?

Hay diversas condiciones caracterizadas por un exceso de hierro en el cuerpo. La **hemocromatosis** es una perturbación genética, diagnosticada en cerca del 1 % de la población; determina la existencia de depósitos excesivos de hierro en el hígado, el corazón, el páncreas, la piel y otros órganos; todos ellos se ven sometidos al grave daño de los radicales libres tóxicos producidos por el hierro. La hemocromatosis se considera una enfermedad bastante rara, pero algunos investigadores creen que esto es así porque no se diagnostica lo suficiente. Un sencillo análisis de comprobación de esta condición mide la ferritina en el suero, la forma que reviste el hierro almacenado.

¿Cabe obtener demasiado hierro a partir de complementos o de alimentos ricos en esta sustancia?

Si padece hemocromatosis, la obtención de una cantidad excesiva del mineral a partir de complementos, de alimentos enriquecidos o de otros simplemente ricos en esta sustancia puede llegar a constituir un problema. Habitualmente, sin embargo, las personas sanas no alcanzan niveles elevados de hierro porque su intestino absorbe cada vez menos a medida que se llega al nivel óptimo de este mineral en la sangre.

¿Se ha relacionado un exceso de hierro con problemas de la salud?

Un estudio finlandés señala que el incremento del 1 % en el nivel del hierro puede ser causa de un aumento del 4 % del riesgo de ataque cardíaco. Pero la mayoría de los científicos creen que es demasiado pronto para llegar a conclusiones definitivas acerca de los efectos del hierro en el riesgo de enfermedades del corazón.

¿Cómo un nivel alto de hierro propicia una enfermedad cardíaca?

Los investigadores consideran que un nivel excesivo de hierro puede causar un aumento del daño oxidante al corazón y los vasos sanguíneos y quizá una oxidación acrecida del colesterol de lipoproteínas de densidad baja, que entonces comienza a obstruir las arterias.

¿Existe alguna relación entre un nivel alto de hierro y el aumento del cáncer?

Los estudios realizados con animales indican que, dependiendo de las condiciones, el hierro puede propiciar o inhibir el desarrollo de tumores. Resulta necesario para la división de las células y, en algunos animales, se ha advertido que una deficiencia de hierro retrasa el crecimiento de un tumor. Por otro lado, en los estudios realizados con seres humanos se ha relacionado la deficiencia de hierro con un incremento del riesgo de cáncer de laringe y de estómago. Actualmente las investigaciones pretenden determinar si depósitos de hierro en el organismo superiores a lo normal incrementan en las mujeres el riesgo de desarrollar cáncer de mama.

¿Se ha asociado con alguna enfermedad el nivel bajo en hierro?

Un nivel bajo de esta sustancia suscita una anemia por deficiencia de hierro, condición caracterizada por el hecho de que los glóbulos rojos se vuelven pequeños y pálidos, existe una fatiga extremada, dificultad para concentrarse, jadeos y otros problemas. Basta con incrementar la ingestión de hierro para que con el tiempo se corrija esta situación, aunque en un principio algunas personas necesitan tomar grandes cantidades de hierro para volver a la normalidad.

Se ha asociado asimismo la deficiencia de hierro con el síndrome de Plummer-Vinson. En esta condición una tenue membrana se extiende como una tela de araña por la parte superior del esófago que dificulta el tragar. Este síndrome solía ser bastante corriente en Suecia, pero ha sido prácticamente erradicado con el empleo de complementos de hierro.

¿Es cierto que una ingestión baja de hierro puede afectar al estado de ánimo y la capacidad de concentrarse y de aprender?

Sí. La anemia por deficiencia de hierro se ha relacionado con dificultades emocionales y sociales en niños y adultos. Los bebés deficientes en hierro se manifiestan a menudo irritables y no revelan interés por lo que les rodea, mientras que los adultos carentes de hierro se muestran a menudo perezosos y obtusos.

Un estudio reciente ha demostrado que tanto la deficiencia de hierro como la de cobre pueden alterar el sueño nocturno. Las personas cuya ingestión de hierro es insuficiente duermen más tiempo, pero se despiertan más a menudo durante la noche que los sujetos que obtienen la cantidad adecuada de este mineral.

En otro estudio se observó que un complemento diario de 105 miligramos de hierro contribuía a mejorar el talante y la capacidad de concentrarse en la escuela y eliminaba la fatiga en chicas adolescentes que se habían quejado de tales síntomas.

Bajos niveles de hierro son asimismo susceptibles de incrementar el riesgo de síntomas menstruales serios, cambios de comportamiento, sensaciones autonómicas (sudores y vértigos), disminución de la eficiencia, escaso rendimiento en el trabajo o en la escuela y aumento de somnolencia, durante el día.

¿Se asocia el déficit de hierro con algún otro problema?

La respuesta inmunológica —capacidad del organismo para combatir una infección— mengua en los individuos que padecen esta deficiencia. Tanto las infecciones crónicas de hongos como la del herpes simple tienen mayor incidencia en las personas con bajo nivel de hierro. Algunas células inmunológicas se basan en el hierro para generar las reacciones oxidantes que les permiten eliminar bacterias y otros invasores nocivos. Cuando el nivel de hierro es bajo, estas células no son capaces de operar adecuadamente.

¿Es cierto que algunos atletas toman hierro adicional para mejorar su rendimiento?

A no ser que esté bajo en hierro, las cantidades adicionales de este mineral no tendrían efecto alguno en la mejora del rendimiento atlético de un deportista. La deficiencia de hierro se halla, empero, asociada con la debilidad muscular y la disminución de energía, y ambos problemas pueden aparentemente surgir aunque el nivel de hierro no sea lo suficientemente bajo como para provocar anemia. Los estudios sobre mujeres indican que un ejercicio moderado no agota los depósitos de hierro.

¿Consigue hierro suficiente la mayoría de las personas?

No. Las encuestas dietéticas revelan que son muchos los individuos que no reciben hierro suficiente para atender a sus necesidades. El 32 % de la población obtiene menos del 70 % de la ración dietética recomendada de 10 miligramos para varones y mujeres posmenopáusicas y de 15 miligramos para las premenopáusicas. En Estados Unidos la deficiencia nutritiva más común es la de hierro.

¿Qué personas corren un riesgo mayor de deficiencia de hierro?

Bebés, niños y adolescentes, sobre todo las chicas, son a menudo deficientes, ya que su crecimiento rápido exige una gran cantidad de hierro. Las carencias de este mineral suelen darse en las mujeres durante sus años de fertilidad, puesto que la menstruación, el embarazo y la lactancia agotan las reservas de hierro del organismo.

HIERRO
Prontuario

Ración dietética recomendada

Para los varones y las mujeres de 50 o más años, 10 miligramos; para mujeres de 11 a 50 años, 15 miligramos

Fuentes

Hígado, carnes, alubias, nueces, frutos secos, aves, pescados, cereales integrales o enriquecidos y la mayoría de las verduras de hojas verde oscuro.

Signos de deficiencia

Anemia, fatiga, pulso rápido, jadeos, incapacidad para concentrarse, sueño inquieto, serios dolores y hemorragias menstruales, y pérdida del cabello.

Posibles problemas de toxicidad

El estreñimiento es el efecto secundario más corrientemente asociado con los complementos de hierro. Los niños que toman muchos compuestos de este mineral pueden acabar en la sala de emergencia de un hospital, porque las dosis grandes resultan venenosas. Pero los progresos en el tratamiento han eliminado virtualmente la mortalidad infantil por envenenamiento de hierro. Los niveles elevados de esta sustancia están asociados con un incremento del riesgo de afecciones cardíacas y, posiblemente, de cáncer. Se considera muy bajo el peligro de recibir directamente demasiado hierro de los alimentos. Pero no se sabe cuál es el riesgo del uso a largo plazo de dosis moderadas a altas (25 a 75 miligramos).

MAGNESIO

¿Qué es el magnesio?

Un elemento metálico blanco plateado relacionado con el calcio y el cinc. Como el magnesio es muy ligero pero resistente, sus aleaciones se emplean en aviones, piezas de coches, escaleras de mano, herramientas portátiles y maletas. El magnesio es también el mineral principal en amiantos y en el polvo de talco. La «magnesia blanca» constituye una forma de magnesio difícilmente absorbida que opera eliminando agua del intestino.

¿En qué alimentos se encuentra el magnesio?

Sobre todo en cereales integrales, nueces, aguacates, alubias y verduras de hojas verde oscuro. Durante la preparación de los alimentos se pierde buena parte del magnesio que contienen en su estado natural. Queda, por ejemplo, escaso magnesio en la harina blanca y en el arroz refinado y prácticamente nada en el azúcar, el alcohol, grasas y aceites.

¿Qué papel desempeña el magnesio en el organismo?

El magnesio es necesario en todos los grandes procesos biológicos del cuerpo, como la producción de energía a partir del azúcar y la fabricación de material genético. Es esencial para la contracción muscular, la conducción nerviosa y el tono de los vasos sanguíneos. Interactúa con el calcio para regular la cantidad de éste que penetra en las células con objeto de controlar funciones tan vitales como la de los latidos del corazón. Se han asociado las ingestiones bajas de magnesio con la hipertensión y las afecciones cardíacas.

¿Se ha usado con éxito el magnesio en el tratamiento de alguna enfermedad?

Sí. Según han mostrado varios estudios, el magnesio por vía intravenosa durante un ataque cardíaco reduce a la mitad las probabilidades de que el paciente desarrolle una arritmia o irregularidad en los latidos del corazón o de que muera de un paro cardíaco. Los investigadores de uno de estos estudios afirman que el magnesio administrado por vía intravenosa «es simple, barato y se halla desprovisto de efectos secundarios» y opera tan bien como los medicamentos utilizados para disolver los coágulos de sangre. En otro estudio las personas que recibieron magnesio por vía intravenosa tras la implantación de un *bypass* presentaban una probabilidad menor de sufrir problemas cardíacos y requirieron menos tiempo de apoyo respiratorio que los que no obtuvieron magnesio.

Se ha demostrado con animales que la deficiencia crónica de esta sustancia determina cambios microscópicos en las arterias del corazón, así como la aparición de rastros de cicatrices en el propio músculo cardíaco, cambios a los que siguió la formación de depósitos de calcio que endurecen los tejidos y merman su capacidad normal de funcionamiento.

¿Se ha utilizado el magnesio en el tratamiento de otros problemas?

En un estudio reciente, un complemento diario de 4,5 gramos de magnesio mejoró la respuesta a la insulina en el organismo, facilitando a los ancianos el metabolismo del azúcar y en consecuencia el mantenimiento en la sangre de niveles bajos tanto de insulina como de azúcar. Los investigadores creen que cantidades adecuadas de magnesio permiten a la insulina penetrar con más facilidad en las células y mejorar así su capacidad para quemar azúcar y producir energía. Aparentemente, el magnesio también promueve la secreción de insulina.

Se ha referido anteriormente a la tensión, ¿cómo se asocia con ésta el magnesio?

Varios estudios indican la posibilidad de que una deficiencia de magnesio contribuya a la hipertensión. Y complementos de magnesio o una terapia por vía intravenosa pueden reducir la tensión, relajando los vasos sanguíneos constreñidos. En un estudio japonés, cuando personas de tensión leve o moderadamente alta recibieron por vía oral complementos de magnesio, su tensión disminuyó considerablemente. En otro estudio los compuestos de magnesio redujeron la tensión de diabéticos.

¿Se ha utilizado magnesio para tratar algunas otras enfermedades?

En un estudio investigadores británicos advirtieron que algunas personas con el síndrome de fatiga crónica presentaban niveles anormalmente bajos de magnesio en los glóbulos rojos. Cuando 15 de estos sujetos recibieron inyecciones semanales de sulfato de magnesio durante seis semanas, 7 manifestaron un gran progreso. Y todos menos 3 revelaron más energía, menos dolores y ansiedad en comparación con un grupo similar que no recibió magnesio complementario. Sin embargo, la mayoría de los investigadores cree que se precisan más indagaciones para determinar si el efecto persiste y si el magnesio por vía oral puede brindar beneficios similares.

El magnesio reviste importancia para la estructura de los huesos y, administrado conjuntamente con calcio, en un pequeño estudio incrementó la densidad ósea en minerales de mujeres posmenopáusicas sometidas a terapia de estrógeno.

Al menos dos estudios indican que el magnesio administrado por vía intravenosa alivia los jadeos y mejora la función pulmonar en asmáticos.

Y en otro trabajo se observó que un tratamiento con magnesio por vía oral durante las dos semanas previas a la menstruación aliviaba los síntomas tanto premenstruales como menstruales, lo mismo físicos que emocionales.

¿Obtienen la mayoría de las personas magnesio suficiente de su dieta?

No, no se suele alcanzar la ración dietética recomendada de este mineral. Los estudios indican que alguien que tome unas 2.000 calorías diarias conseguirá unos 240 miligramos de magnesio, cuando la ración dietética recomendada para los varones adultos es de 350 miligramos y para las mujeres de 250 miligramos. Una investigación del Departamento de Agricultura de Estados Unidos reveló que el promedio diario de ingestión de las mujeres era ligeramente superior a 200 miligramos y el de los varones se aproximaba a los 300 miligramos.

¿Cuáles son los signos de deficiencia de magnesio?

Los síntomas de la deficiencia de magnesio aparecen lentamente, pues existen reservas importantes en el organismo. Los más comunes son náuseas, debilidad de los músculos, irritabilidad, diarrea, confusión, temblores, pérdida de coordinación, calambres musculares, vértigos, apatía, depresión y pulso irregular.

¿Qué personas corren un riesgo mayor de deficiencia de magnesio?

En la actualidad se considera muy corriente la deficiencia marginal de magnesio. En la mayoría de las personas suele ser resultado de una nutrición deficiente, de diabetes, dificultades en la absorción intestinal, diarreas prolongadas y alcoholismo. También es posible que sufran un déficit los sujetos que toman diuréticos o digital durante largos períodos o reciben alimentación entubada o por vía intravenosa. Lo mismo sucede con muchas embarazadas y con personas que hacen un ejercicio agotador.

MAGNESIO
Prontuario

Ración dietética recomendada

Para varones, 350 miligramos; para mujeres, 250 miligramos.

Fuentes

Cereales integrales, nueces, aguacates, alubias y verduras de hojas verde oscuro.

Signos de deficiencia

Pérdida de apetito, náuseas, vómitos, diarrea, confusión, temblores, falta de coordinación, calambres musculares, vértigos, apatía, depresión y pulso irregular.

Posibles problemas de toxicidad

El magnesio tiene un buen historial de seguridad. Se han observado síntomas de sobredosis con el abuso de antiácidos que contenían magnesio. Entre tales indicios figuran la hipotensión, letargo, debilidad, ligeras dificultades de vocalización, inestabilidad, retención de fluidos, náuseas y vómitos. El nivel más bajo registrado que resulta nocivo a un individuo con riñones sanos es de 1.700 miligramos diarios. Las personas con problemas renales sólo deben tomar un complemento de magnesio bajo prescripción médica. Los expertos consideran segura para estos individuos una dosis de unos 600 miligramos al día.

POTASIO

¿Qué es el potasio?

Un metal blando, blanco plateado, que en la naturaleza sólo se presenta en compuestos denominados sales de potasio. Constituye uno de los minerales más abundantes en el organismo. A diferencia del sodio, que se encuentra principalmente en el fluido exterior de las células, el potasio se localiza casi por entero en su interior. Se concentra principalmente en los músculos, pero también está en la piel y en otros tejidos. El cuerpo no almacena potasio y debe reponerlo constantemente con la dieta diaria.

¿En qué alimentos se halla potasio?

Las mejores fuentes son las frutas (también los plátanos), las verduras y sus zumos. Patatas asadas, ñames, aguacates, ciruelas, remolacha fresca, el zumo de zanahorias y las pasas ofrecen cantidades importantes de potasio, al igual que los moluscos y las alubias.

¿Qué papel desempeña el potasio en el cuerpo?

Ejerce una misión fundamental en funciones tan importantes como la contracción muscular, la conducción nerviosa, la regulación de los latidos cardíacos, la producción de energía y la elaboración de material genético y de proteínas.

¿Se ha relacionado la deficiencia de potasio con algunas enfermedades?

En varias poblaciones estudiadas se ha observado que una ingestión baja de potasio parece tener cierta conexión con un incremento de la tensión y la muerte por apoplejía.

En un estudio los investigadores señalaron que, restringiendo durante diez días la ingestión de potasio, habían inducido en sujetos hipertensos un promedio de seis puntos de aumento en la tensión.

Y en una investigación realizada durante doce años sobre residentes de una comunidad californiana, los varones que tomaban un mínimo de potasio ofrecían una probabilidad casi tres veces superior de muerte por apoplejía que los que recibían grandes cantidades de este mineral. En las mujeres del grupo de ingestión baja, el riesgo era unas cinco veces superior al de las del grupo de ingestión elevada. Diferencia entre los dos grupos: unos 665 miligramos de potasio, simplemente una ración de un producto vegetal rico en esta sustancia, como una gran patata asada.

¿Se han utilizado grandes ingestiones de potasio para el tratamiento de la hipertensión?

En varios estudios el incremento de la ingestión dietética de potasio o complementos de esta sustancia determinaron una modesta reducción de la tensión en sujetos hipertensos.

Se llevó a cabo en Nápoles un estudio con 54 varones y mujeres cuya medicación mantenía su tensión por debajo de 160/95 mHg. Durante el año siguiente la mitad de los participantes incrementó considerablemente la ingestión de alimentos ricos en potasio sin alterar el número total de calorías que consumían. Los otros mantuvieron su régimen alimenticio normal. Los médicos supervisaron la reducción de la medicación de ambos grupos. Al final del año, el 81 % de las personas con una dieta rica en potasio fue capaz de reducir en más del 50 % el uso de medicamentos contra la tensión. Sólo el 29 % del grupo de «dieta normal» pudo efectuar una disminución tan considerable.

¿Puede el potasio prevenir la apoplejía?

No se ha estudiado la posibilidad de reducir la incidencia de la apoplejía mediante el aumento de ingestión de potasio, pero algunos médicos recomiendan un mayor consumo de este mineral o complementos del mismo a pacientes con un historial familiar significativo respecto de estas afecciones.

¿Cómo se cree que reduce el potasio la tensión?

El potasio interactúa con el sodio para regular el equilibrio de fluidos en el organismo. Promueve la eliminación del calcio por la orina, lo que conduce a una disminución del volumen de la sangre, que a su vez provoca una reducción de la tensión. El agotamiento del potasio obliga al cuerpo a retener más fluido como reacción ante una gran dosis de sal.

¿Se emplea el potasio para tratar algunos otros problemas físicos?

Se agrega a las bebidas de los deportistas para reemplazar los 700-800 microgramos que suelen perder tras algunas horas de intensa exudación. Aunque el agotamiento del potasio provoca debilidad muscular y fatiga, no se ha comprobado que el potasio adicional mejore el rendimiento atlético de alguien que no sea deficiente en esta sustancia.

¿Cuánto potasio se recibe diariamente con la dieta?

Los estudios indican que la ingestión de potasio varía considerablemente. Las personas que comen gran cantidad de frutas y verduras pueden recibir hasta 8-10 gramos diarios; sin embargo, la mayoría de población consume unos 2.500 miligramos diarios. Los negros parecen tener ingestiones generalmente bajas de unos 1.000 miligramos al día.

Si se observa la recomendación del Departamento de Agricultura de Estados Unidos de tomar diariamente tres hortalizas y dos frutas se conseguirán unos 3.500 miligramos de potasio. Esta cantidad coincide con el promedio de las prescripciones de los expertos, que se orientan en torno de los 3.000-4.000 miligramos diarios, lo que equivale a comer ocho plátanos o tres patatas y media asadas.

¿Qué personas corren un riesgo mayor de padecer deficiencia de potasio?

Las que utilizan diuréticos (medicamentos para reducir la tensión mediante un aumento de la producción de orina), puesto que lo eliminan de su organismo. También presentan un peligro mayor los sujetos que sudan mucho o los que padecen diarrea crónica.

¿Cuáles son los signos de deficiencia de potasio?

Los síntomas más comunes son propensión a la fatiga, debilidad generalizada, dolores musculares, pulso anormal, somnolencia y conducta irracional.

POTASIO
Prontuario

Ración dietética recomendada

Como el potasio se encuentra en la mayoría de los alimentos y rara vez falta en la dieta, no tiene ración dietética recomendada. El Consejo Nacional de Investigación estima que la exigencia mínima se halla entre 1.600 y 2.000 miligramos diarios.

Fuentes

Las mejores fuentes son las frutas (también los plátanos), las verduras y sus zumos. Las patatas asadas, los ñames, los aguacates, las ciruelas, las remolachas frescas, zumo de zanahoria y las pasas brindan buenas cantidades de potasio, al igual que los moluscos y las alubias.

Signos de deficiencia

Fatiga, debilidad, dolores musculares, pulso anormal, somnolencia, y conducta irracional.

Posibles problemas de toxicidad

Dosis elevadas de varios gramos —resultado del mal uso de complementos o de sustitutivos de sal— pueden determinar un fallo cardíaco. Entre otros síntomas de toxicidad figuran la debilidad muscular, la confusión mental, el envaramiento y cosquilleo de las extremidades y una piel fría y pálida. Los complementos de potasio que contienen más de 99 miligramos por píldora únicamente son accesibles mediante receta médica y han de ser utilizados sólo bajo supervisión de un facultativo. Es posible que retengan el potasio los diabéticos, los enfermos renales y quienes tomen un diurético llamado spirinolactona. Su empleo de complementos debe hallarse sometido a control médico.

SELENIO

¿Qué es el selenio?

Uno de los microelementos minerales esenciales para la salud humana. Guarda una estrecha relación química con el azufre, otro elemento nutricional esencial, pero se requiere en cantidades mucho más pequeñas. En 1989 se atribuyó al selenio una ración dietética recomendada de 70 microgramos para los varones y de 55 microgramos para las mujeres, siendo el más reciente de los microelementos minerales en recibir semejante prescripción.

¿En qué alimentos se encuentra el selenio?

La cantidad de selenio en los alimentos depende del que contenga el suelo de donde procedan. En general, las mejores fuentes son brécoles, setas, coles, apio, pepino, cebollas, ajos, rábanos, levadura de cerveza, cereales, pescados y carnes de órganos.

¿Qué papel desempeña el selenio en el organismo?

Al igual que las vitaminas E y C y el caroteno beta, el selenio actúa como antioxidante. Resulta esencial para la formación de una enzima, la **peroxidasa de glutatión**, conocida por su enérgica acción antioxidante. En los estudios realizados, el selenio parece contribuir a la prevención de algunas clases de cáncer y de afección cardíaca, asimismo aumenta la capacidad del cuerpo para combatir las infecciones y la desintoxicación de metales pesados que en potencia provocan el cáncer, como el mercurio y el cadmio, y reducir una inflamación, proporcionando así una posible ayuda en la lucha contra enfermedades inflamatorias crónicas como la artritis reumatoide.

¿Qué puede decirme acerca del selenio y el cáncer?

Actualmente algunos estudios señalan que se elevan las tasas de cáncer cuando disminuye la ingestión de selenio. De hecho, en todo el mundo, las tasas de cáncer se corresponden con las de suelos pobres en selenio. Rapid City, en Dakota del Sur, por ejemplo, una comarca rica en selenio, tiene aproximadamente la mitad de la tasa de cáncer del estado de Ohio, zona de tierras pobres en selenio. La correspondencia es la misma en mas de veinte países. Cuanto menor sea la ingestión de selenio, mayor será la incidencia de leucemia y de cáncer de colon, recto, páncreas, mama, ovarios, próstata, vejiga, piel, y en los varones, de pulmón.

Muestras de sangre recogidas de grandes grupos humanos revelan que resulta mayor la probabilidad de desarrollar un cáncer si el nivel de selenio en la sangre es bajo. En experimentos realizados con animales, los complementos de selenio redujeron significativamente la incidencia de cáncer de hígado, piel, mama y colon.

¿Y qué hay del corazón? ¿Cómo le afecta el selenio?

Aquí también, al igual que las vitaminas E y C, el selenio actúa como antioxidante para ayudar a impedir la constitución de grasas que obstruyan las arterias y el correspondiente daño en las paredes de los vasos sanguíneos. Diversos estudios señalan asimismo que este microelemento, especialmente en combinación con la vitamina E, contribuye a evitar lesiones de los tejidos relacionados con la disminución del torrente sanguíneo.

Por añadidura, el selenio, como la vitamina E, posee la capacidad de inhibir el agrupamiento de células de la sangre, también conocido como agregación de trombocitos.

Usted ha dicho que el selenio aumenta la capacidad del organismo para combatir infecciones, ¿cómo lo hace?

No está muy claro el procedimiento exacto por el que el selenio fortalece la función inmunológica. Mas, como sucede con otros antioxidantes, parece ayudar a defender a los glóbulos blancos de los radicales libres que generan en el proceso de combatir la infección. Por ejemplo, el selenio protege a un tipo de glóbulos blancos, los macrófagos, contra los radicales libres que crean cuando engullen y destruyen bacterias.

¿Cómo protege el selenio del envenenamiento de metales pesados?

Tampoco aquí se conoce con exactitud el mecanismo, pero se considera que se combina con el metal, convirtiéndolo en un compuesto inocuo.

Antes ha dicho que el selenio puede contribuir a aliviar afecciones inflamatorias como la artritis. ¿Hay estudios que demuestren que esto sea cierto?

Por desgracia, la documentación científica utilizable en esta y en otras enfermedades es fundamentalmente anecdótica. Pero preparaciones inyectables y orales de selenio/vitamina E han dado buenos resultados en la práctica veterinaria, aliviando la inflamación artrítica de perros y otros animales.

¿Logra selenio suficiente la mayoría de las personas a través de su dieta?

Las encuestas dietéticas indican que la mayoría de la población obtiene la ración dietética recomendada de selenio. Pero los datos disponibles parecen indicar que se necesitan cantidades superiores a esa dosis como protección contra el cáncer y las afecciones cardíacas. Por esta razón, algunos investigadores sugieren complementar la dieta con una ingestión diaria de 50 a 200 microgramos.

¿Cuáles son los signos de deficiencia?

En los animales, una forma de distrofia muscular, con seria pérdida de los músculos. Por lo que se refiere a los seres humanos, cabe citar el caso de una mujer que desarrolló una deficiencia de selenio, padeciendo serios dolores musculares y, con el tiempo, incapacidad para andar. En algunas regiones de China, donde la deficiencia debe su origen a la escasez de selenio en el suelo, se desarrolla una forma de enfermedad cardíaca, que se caracteriza por el agrandamiento del corazón, un ritmo rápido y electrocardiograma anormal. En casos graves, sobrevienen un fallo cardíaco y el fallecimiento.

¿Qué personas corren un riesgo mayor de deficiencia de selenio?

En Estados Unidos es rara esta deficiencia. Los escasos casos documentados corresponden a pacientes intubados o alimentados con suero por vía intravenosa que no obtienen la cantidad adecuada de selenio.

SELENIO
Prontuario

Ración dietética recomendada

Para varones, 70 microgramos; para mujeres, 55 microgramos.

Fuentes

Brécoles, setas, coles, apio, pepinos, cebollas, ajos, rábanos, levadura de cerveza, cereales, pescados y carnes de órganos.

Signos de deficiencia

Dolores y pérdidas musculares, problemas cardíacos.

Posibles problemas de toxicidad

No se conoce con certeza el nivel de selenio en la dieta que provoca un envenenamiento crónico. Pero 5 miligramos diarios de los alimentos determinan cambios en las uñas y pérdida del cabello. Un varón que durante año y medio tomó diariamente 1.000 microgramos mostró lesiones en las uñas y aliento con olor a ajo. Entre los primeros signos de toxicidad del selenio figuran la fatiga, la irritabilidad y la sequedad del cabello. Obreros como los mineros, expuestos a los efectos de grandes cantidades de selenio, presentan olor a ajo, sequedad de la piel y el cabello y fragilidad de las uñas, náuseas, vómitos y problemas del sistema nervioso, así como una sensibilidad anormal o reducida o parálisis.

CINC

¿Qué es el cinc?

Un metal azul plateado empleado para galvanizar el hierro y componente de las pilas eléctricas. Resulta esencial para la salud humana. En cualquier momento se encuentran en el organismo unos 2 gramos de cinc.

¿Qué alimentos contienen cinc?

Las mejores fuentes son ostras, carne de vaca, el hígado de cerdo y de vaca, cordero, cangrejos, trigo germinado y miso (pasta fermentada de soja).

¿Qué papel desempeña el cinc en el cuerpo?

Se sabe que interviene en la estructura y funcionamiento de las membranas celulares y en la producción de más de 200 enzimas, entre las que se cuentan las que participan en la elaboración de ácido nucleico, un material genético de la célula. Se sabe que resulta esencial para la cicatrización adecuada de las heridas y la salud de la piel, el vigor del sistema inmunológico, la actividad normal del gusto y del tacto y en la función sexual, el metabolismo y la visión, entre otras cosas.

Así pues, interviene en muchas funciones, ¿cuáles diría usted que son las más importantes?

Una de las que ha sido recientemente objeto de muchos estudios ha sido desde luego el papel del cinc en el sistema inmunológico.

¿Qué puede decirme al respecto?

El cinc es uno de los elementos nutritivos más importantes de los numerosos requeridos para una adecuada función inmunológica. Las personas que presentan un déficit de cinc tienen una probabilidad mucho mayor de desarrollar infecciones, y numerosos investigadores creen que el declive de la función inmunológica en los ancianos es debido, al menos en parte, a deficiencias de cinc y de otros nutrientes cruciales para una excelente inmunidad. En un estudio, un complemento de cinc (220 miligramos dos veces al día durante un mes) incrementó el número de glóbulos blancos que combaten las infecciones en sujetos sanos de más de 70 años. No se registró aumento en un grupo que no recibió el complemento.

Otro estudio señala que un compuesto denominado gluconato de cinc puede contribuir a reducir los síntomas del resfriado. Estudiantes voluntarios que tomaron 184 miligramos diarios de gluconato de cinc en tabletas superaron sus resfriados en cuatro días de tratamiento, mientras que los que tomaron píldoras de placebos permanecieron enfermos un promedio de nueve días. El cinc parece actuar contra los resfriados, señalan los investigadores, sólo cuando se disuelve en la boca. Posiblemente, unos niveles elevados de cinc en la saliva afectan a la terminación del nervio facial, concluyen la mucosidad nasal e impiden la multiplicación del virus.

Se han encontrado niveles bajos de cinc en la sangre de enfermos de sida y actualmente los científicos se esfuerzan por averiguar si un complemento de cinc podría contribuir al mantenimiento de su inmunidad.

Según dice, el cinc es esencial para el gusto y el olfato, ¿significa esto que perdemos estos sentidos cuando disponemos de poco cinc?

Sí. Los deficientes en este nutriente a menudo tienen un gusto y un olfato escasos. Esto puede crear un círculo vicioso. La falta de gusto y de olfato determina a menudo un escaso apetito lo que a su vez origina una nutrición deficiente.

De hecho, algunos investigadores creen que la anorexia nerviosa, condición caracterizada por falta de apetito y una dieta compulsiva, puede agravarse cuando esa ingestión pobre conduce a una deficiencia de cinc. Un estudio halló que el incremento de calorías en mujeres que sufrían anorexia nerviosa —proporcionándoles una alimentación equilibrada en la que figuraba la ración dietética recomendada de cinc— disminuyó inicialmente su nivel de cinc en la sangre.

Los investigadores estiman que esa disminución se debía a que la ración dietética recomendada de cinc (12 miligramos en las mujeres) no suministraba todo el nutriente necesario para la constitución de tejidos que acompaña a un aumento de peso. Fue preciso elevar a 75 miligramos el complemento de cinc, junto con calorías adicionales, para que el nivel de cinc en la sangre de estas mujeres aumentara hasta llegar a ser normal.

¿Y qué me dice de la visión? ¿Es posible que la deficiencia de cinc determine una disminución de la vista?

El cinc interviene en el funcionamiento normal de la retina (la parte posterior del ojo). El empeoramiento de la zona central de la retina —la degeneración macular— es la causa principal de la pérdida de visión en los ancianos. En un estudio se observó que personas mayores sanas que recibieron 100 miligramos de cinc dos veces al día durante uno o dos años registraron por degeneración macular una pérdida de visión significativamente inferior a la de un grupo similar al que se administró placebos.

¿Desempeña algún papel el cinc en la prevención del cáncer?

Los datos son contradictorios. Algunos estudios indican que una ingestión adecuada de cinc sirve de protección contra el desarrollo del cáncer. En otras investigaciones, sin embargo, se observó que animales deficientes en cinc presentaron realmente un crecimiento más lento de tumores que los que mantenían una ingestión adecuada. El cinc puede contribuir a prevenir el cáncer, ayudando a neutralizar ciertos agentes que lo causan, como el cadmio, un metal pesado, y manteniendo la capacidad óptima del sistema inmunológico. Por otro lado, como el cinc es necesario para el desarrollo normal de la célula, su deficiencia puede dificultar el crecimiento de células cancerosas ya existentes.

Pero como una deficiencia de cinc suscita síntomas serios, jamás se provocaría para el tratamiento del cáncer. En un cáncer ya creado (en animales) este procedimiento presenta efectos secundarios adversos harto numerosos como para utilizarlo con seres humanos. Lo mismo ocurre con algunos otros minerales.

¿Qué tiene que ver el cinc con la función sexual?

En los varones una deficiencia de cinc provoca una disminución en la producción de testosterona, la principal hormona masculina que estimula el desarrollo de los órganos masculinos de la reproducción, así como de la próstata, y las características sexuales secundarias como el pelo facial y la musculatura. Los varones con problemas de fertilidad que tengan además un nivel bajo de cinc en la sangre se beneficiarán a menudo de un complemento de esta sustancia. La deficiencia de cinc provoca también una disminución del impulso sexual. A menudo se retrasa la pubertad de los chicos adolescentes que están bajos en cinc.

¿Es cierto que a veces se usa el cinc para tratar problemas con la próstata?

Se ha empleado para tratar una clase de agrandamiento llamado hiperplasia prostática benigna. Y aunque existen algunos datos anecdóticos de que unos 80 miligramos de sulfato de cinc brindan alguna ayuda a varones que padecen esta enfermedad, no hay estudios científicos que demuestren su eficacia.

¿Algo más para lo que sea bueno el cinc?

El cinc, como el hierro y otros microelementos minerales, desempeña aparentemente un papel en la producción de neurotransmisores, los elementos químicos del cerebro que transportan los mensajes. En un estudio realizado con personas con lesiones cerebrales, las que recibieron unas cinco veces la cantidad de cinc normalmente hallada en fórmulas intravenosas alcanzaron resultados neurológicos significativamente más altos, estimados por un especialista un mes después de los accidentes.

Se ha utilizado localmente la pasta de cinc para el tratamiento en las piernas de llagas asociadas con una circulación defectuosa, por otra parte, los antibióticos de empleo local parecen ser mas efectivos contra el acné.

¿Se obtiene cinc suficiente de la dieta?

Aparentemente, la mayoría de las personas consiguen bastante. Una dieta típica proporciona de 10 a 15 miligramos diarios de cinc, cantidad que se aproxima a la ración dietética recomendada de 15 miligramos para los varones y de 12 para las mujeres. Pero los estudios realizados muestran que algunos grupos de personas reciben cantidades insuficientes de cinc.

¿Qué personas corren el riesgo de ser deficientes en cinc?

Los ancianos, las personas que siguen dietas bajas en calorías y los vegetarianos (puesto que el cinc se encuentra principalmente en las carnes). Ciertos medicamentos, como los diuréticos, y algunas enfermedades (diabetes y alcoholismo, por ejemplo) conducen a una eliminación excesiva de cinc y, en consecuencia, a la necesidad de aumentar su ingestión. La exudación excesiva puede determinar asimismo una pérdida significativa de esta sustancia.

¿Cuáles son los signos de la deficiencia de cinc?

Retraso en el crecimiento, escaso apetito, mal funcionamiento de las glándulas sexuales, letargo mental, tardía cicatrización de las heridas, anormalidades en los sentidos del gusto, el olfato y la vista, cambios en la piel y un incremento de la susceptibilidad a la infección.

CINC
Prontuario

Ración dietética recomendada

Para varones, 15 miligramos; para mujeres, 12 miligramos.

Fuentes

Son buenas fuentes las ostras, la carne de vaca y de cerdo, el hígado de vaca, el cordero, los cangrejos, el trigo germinado y miso (pasta fermentada de soja).

Signos de deficiencia

Retraso en el crecimiento, escaso apetito, mal funcionamiento de las glándulas sexuales, letargo mental, demora en la cicatrización, anormalidades del gusto, el olfato y la vista, cambios en la piel y aumento de la susceptibilidad a la infección.

Posibles problemas de toxicidad

El cinc compite con el cobre en la absorción intestinal; algunos investigadores creen que para tomar cantidades de cinc tan reducidas como 15 miligramos es preciso recibir asimismo 2 miligramos de cobre.

En un reciente estudio cantidades elevadas de cinc redujeron la función inmunológica. Incluso un complemento de 25 miligramos, dosis considerada harto reducida, bastó para menguar la eficacia de la función inmunológica después de seis meses de tratamiento.

CLORUROS, FLUORUROS, MANGANESO, MOLIBDENO, FÓSFORO Y SODIO

CLORUROS

¿Qué son los cloruros?

Sustancias que purifican el agua y se emplean en la fabricación de detergentes, pero que también constituyen un elemento nutritivo esencial para los seres humanos. El nombre de cloruro procede del griego y significa «verdoso amarillento». En la naturaleza sólo existen cloruros solubles en el agua. El cloruro de arsénico, que puede crearse en el laboratorio, es una sustancia muy tóxica empleada en la guerra química.

¿Qué papel desempeñan en el cuerpo los cloruros?

Los iones de cloruro actúan como **electrólitos**; son parte del fluido cargado de minerales que se encuentra tanto dentro como fuera de las células. Este fluido transmite cargas eléctricas a través del cuerpo y ayuda a que las moléculas entren y salgan de las células. Se sabe que activa los impulsos nerviosos.

Los cloruros abundan más en el fluido del exterior de las células, pero también se encuentran en su interior. Se concentran asimismo en los ácidos que disuelven los alimentos en el estómago y en el fluido que envuelve el cerebro y la médula espinal.

Jamás he conocido a nadie bajo en este elemento nutricional. ¿Sucede alguna vez?

Sólo raramente. La misma clase de hechos que provocan una pérdida de sodio —intenso sudor, vómitos o diarrea prolongados— puede suscitar también pérdida de cloruros. Las tabletas de sal, que es cloruro sódico, corrigen ambas deficiencias.

¿Qué cantidad de cloruros obtenemos?

La recomendada para adultos es de 1.700 a 5.100 miligramos diarios. Las personas que ingieren una cantidad elevada de sal en sus comidas obtienen un promedio de 3.500 a 7.000 miligramos.

¿Cuáles son los síntomas de la deficiencia de cloruros?

En un caso en que faltaron inadvertidamente cloruros en una fórmula de alimentación infantil, los bebés no conseguían ganar peso y sufrieron estreñimiento, sangre demasiado alcalina y anormalidades electrolíticas. Cuando se añadieron cloruros, mejoraron rápidamente.

FLUORUROS

¿Qué son los fluoruros?

Compuestos no metálicos que en forma gaseosa resultan tóxicos. Pero los fluoruros son beneficiosos para los seres humanos, especialmente por su labor en el mantenimiento de los huesos y del esmalte de los dientes. Sin embargo, hasta ahora no se ha demostrado que sean esenciales para la salud humana.

Sé que a menudo se añaden fluoruros a ciertos dentífricos e incluso en algunas redes municipales de suministro de aguas para contribuir a reducir las caries. ¿Son realmente eficaces estas medidas?

Sí, cuando se incorporan a la pasta de dientes cantidades adecuadas de fluoruros, disminuye en un 25 % o aún más la tasa de deterioro dental. Los estudios han mostrado que esta sustancia es beneficiosa no sólo en los dientes de los niños, sino también en los de los adultos. En una investigación realizada con personas mayores de 54 años, un grupo que durante un año empleó un dentífrico fluorado presentó al cabo del año un deterioro dental y de las raíces inferior, respectivamente, en un 41 y un 67 % al de otro grupo que empleaba pasta no fluorada. Más de la mitad de los mayores de 65 años padecen deterioro de las raíces, en buena parte porque las encías se contraen con la edad.

¿Por qué entonces intranquiliza a ciertas personas que se añadan fluoruros al agua?

Por varias razones. Algunos creen que es posible conseguir la cantidad necesaria de esta sustancia de los dentífricos y los elixires bucales. Y otros consideran, quizá con buena razón, que no se conocen todos los posibles efectos a largo plazo de los fluoruros. Un estudio reciente, por ejemplo, indica que el fluoruro sódico, el compuesto que generalmente se añade al suministro de agua, aumenta la incorporación de aluminio al cuerpo, metal que algunos investigadores sospechan relacionado al desarrollo de la enfermedad de Alzheimer.

¿Existen algunos problemas asociados con la toxicidad de fluoruros?

Se sabe que la toxicidad crónica de fluoruros provoca un endurecimiento anormal de los huesos y que está relacionada con dolores y envaramiento de las articulaciones, debilidad y ocasionalmente lesiones nerviosas y parálisis. Esta condición sólo se produce tras ingestiones diarias de 20 a 80 miligramos de fluoruros, muchísimo más del promedio que se da, por ejemplo, en Estados Unidos.

Los fluoruros pueden ser tóxicos. De 2,5 a 5 gramos de una vez pueden llegar a ser fatales para adultos y niños. En éstos, cantidades superiores a 2,5 miligramos diarios son susceptibles de provocar la aparición de motas en el esmalte dental.

Alguien me dijo que los fluoruros son capaces de causar cáncer, ¿es cierto?

Nadie lo sabe con certeza. Un informe redactado en febrero de 1991, obra de una comisión creada por el Programa Nacional de Toxicología de Estados Unidos para aclarar la cuestión de los fluoruros, encontró pruebas «equívocas» que relacionaban los fluoruros con el cáncer. Algunos expertos afirman que los estudios que han examinado el riesgo potencial de cáncer de fluoruros muestran que el peligro es pequeño. Otros dicen que los resultados aportan pruebas claras de que los fluoruros causan cáncer. Un investigador, en un discutido estudio publicado en 1977, descubrió que las personas que vivían en las diez ciudades más grandes de Estados Unidos con agua fluorada sufrían un 15 % más de cáncer que los habitantes de las diez ciudades más grandes sin fluoruros en el agua. Otros expertos sostienen que este compuesto puede desencadenar múltiples sensibilidades a sustancias químicas, pero son escasos los datos de las investigaciones que respalden esta afirmación.

Usted ha dicho que los fluoruros intervienen en el mantenimiento del buen estado de los huesos. ¿Se han empleado alguna vez para tratar afecciones óseas como la osteoporosis?

Sí, se ha utilizado experimentalmente el fluoruro sódico junto con calcio para aumentar el desarrollo de nuevos huesos en pacientes con osteoporosis. De hecho, este compuesto incentiva un nuevo desarrollo óseo, pero a algunos investigadores les inquieta la posibilidad de que éste sea demasiado frágil para soportar peso, y existen algunos estudios que respaldan este temor. En un estudio sobre tres grupos de mujeres posmenopáusicas de comunidades distintas con diferentes niveles de fluoruros en el agua, el que tenía el más alto contenido de este compuesto dobló la incidencia de fracturas óseas respecto del grupo con niveles de fluoruros bajos en el agua. Estos investigadores señalaron que los fluoruros resultan probablemente eficaces para los huesos y los dientes en pequeñas cantidades, pero que son contraproducentes en dosis mayores.

¿Sirven los fluoruros para algo más?

Los investigadores han advertido que las personas que beben agua rica en fluoruros presentan una incidencia menor de calcificación de los tejidos blandos, problema al que nos referimos en la sección consagrada a la vitamina D. Esto significa que hay menos probabilidad de que el calcio acabe en sus arterias, válvulas cardíacas, tendones y otros tejidos a los que puede endurecer, suscitando un funcionamiento defectuoso.

¿Qué cantidad de fluoruros se supone que recibimos?

No existe ración dietética recomendada para fluoruros. Se recomienda tomar de 1,5 a 4 miligramos diarios. La mayoría de las personas se sitúa dentro de esa gama de consumo, principalmente en función del contenido en fluoruros del agua que beban.

¿Hay alimentos que posean fluoruros?

Sí. El té es una fuente rica, una taza de té negro contiene de 1 a 4 miligramos. El pescado también contiene un nivel aceptable de esta sustancia.

MANGANESO

¿Qué es el manganeso?

Un mineral blanco pulverulento, esencial para la salud humana. Se confunde a veces con el magnesio, de aspecto similar, pero con propiedades diferentes.

¿Qué papel desempeña el manganeso en el cuerpo?

Los investigadores saben que la misión fundamental del manganeso es la de antioxidante. Interviene en reacciones químicas como la producción de energía, el metabolismo de las células nerviosas, la contracción muscular y el desarrollo de los huesos. Pero resultan en su mayor parte desconocidas las peculiaridades de su papel en el cuerpo.

Se han provocado en animales estados de deficiencia en manganeso —caracterizados por un crecimiento defectuoso y perturbaciones neurológicas—, pero la falta de manganeso resulta desconocida en los seres humanos. Sólo se ha dado cuenta de un incidente que pudo haber constituido una deficiencia de manganeso, el caso de un varón que vivió durante cuatro meses con una dieta escasa en esta sustancia. Entre los síntomas que presentaba figuraban coagulación defectuosa de la sangre, enrojecimiento del cabello y barba que antes eran negros, retraso en el crecimiento de pelo y uñas y piel escamosa.

¿Así que nunca somos deficientes en manganeso?

Aparentemente, no.

¿Es alguna vez tóxico?

Sí, la exposición a los efectos de grandes cantidades de este mineral, como la que sufren los trabajadores de las minas de manganeso en Perú, puede causar la «locura del manganeso», una enfermedad caracterizada al principio por una risa inexplicable, una respuesta sexual exaltada, impulsividad, incapacidad para conciliar el sueño, quimeras y alucinaciones. A este estado siguen otro de depresión y, finalmente, síntomas semejantes a los de la enfermedad de Parkinson: movimientos lentos e inconexos, rigidez muscular, temblores y problemas del equilibrio.

¿Existe una ingestión diaria recomendada?

Sí. Se considera prudente y adecuado recibir cada día de 2,5 a 5 miligramos. Y los estudios dietéticos revelan que ingestiones superiores permanecen todavía dentro de un margen de seguridad.

¿En qué alimentos se encuentra manganeso?

En muchos. Son especialmente ricas las nueces, las verduras y las frutas.

MOLIBDENO

¿Qué es el molibdeno?

Un microelemento mineral esencial, del que se sabe que desempeña un papel en la producción de varias enzimas.

¿Qué misión ejerce el molibdeno en el cuerpo?

Una de sus tareas consiste en ayudar al cuerpo a desintoxicarse de sulfitos, compuestos de azufre añadidos a los alimentos en calidad de conservantes y también creados en el organismo como resultado del metabolismo proteínico. Es posible que el molibdeno actúe asimismo como antioxidante, puesto que en China se ha asociado su deficiencia con un gran aumento del cáncer de garganta. Pero no existe prueba científica de que un complemento de molibdeno proteja contra esta enfermedad.

¿En qué alimentos se encuentra el molibdeno?

No se ha determinado su contenido de molibdeno en todos los alimentos, pero, según una encuesta, los que mayor probabilidad ofrecen de poseerlo son la leche, las alubias, el pan y los cereales.

¿Cuánto molibdeno obtenemos?

Un estudio determinó que de 76 a 109 microgramos diarios, un promedio bueno teniendo en cuenta que los expertos recomiendan tomar de 75 a 250 microgramos al día.

¿Se producen alguna vez casos de deficiencia de molibdeno?

En rara ocasión. Incluso en pruebas realizadas con animales en laboratorio, es difícil provocar una deficiencia. Sólo se ha apreciado carencia en personas con alimentación entubada o intravenosa durante un largo período o en aquellos individuos con una infrecuente incapacidad genética para utilizar el molibdeno.

¿Cuáles son los signos de deficiencia de molibdeno?

En un individuo que al parecer desarrolló tal deficiencia como resultado de una inadecuada alimentación entubada, los síntomas incluyeron pulso y respiración acelerados, dolor de cabeza, ceguera nocturna, perturbaciones mentales, irritabilidad, náuseas y vómitos. Con el tiempo surgieron asimismo signos de desorientación, retención de fluidos y coma. Este paciente varón presentó indicios de la existencia de problemas en la metabolización de sulfitos y de purinas, componentes de proteínas. Como los investigadores sabían ya que el molibdeno era necesario para el metabolismo de ambos compuestos, administraron esa sustancia al paciente, que determinó una inversión de los síntomas.

¿Es tóxica esta sustancia?

Sí. Una ingestión diaria de 10 a 15 miligramos se ha asociado con síntomas semejantes a los de la gota: incremento del nivel de ácido úrico en la sangre e inflamación de las articulaciones, especialmente en el dedo gordo del pie. El molibdeno dificulta asimismo la absorción de cobre. Se ha descubierto que volúmenes de 500 microgramos diarios causan una pérdida significativa de cobre.

FÓSFORO

¿Qué es el fósforo?

Un elemento no metálico que en su forma no natural y pura brilla en la oscuridad y se incendia espontáneamente en contacto con el aire. Sólo existe en la naturaleza combinado, habitualmente con el calcio. El fósforo se emplea para fabricar cerillas, detergentes y fertilizantes. También se utiliza como conservante de alimentos.

¿En qué alimentos se encuentra el fósforo?

Las mejores fuentes son carnes, pescado, aves, huevos, queso y leche, nueces, alubias y cereales. También contribuyen a aportar fósforo a la dieta frutas y verduras, especialmente las de hojas verde oscuro.

¿Qué papel desempeña el fósforo en el cuerpo?

El fósforo es un importante elemento nutritivo que participa en casi todas las reacciones metabólicas en el organismo. También interactúa con el calcio para la mineralización de huesos y dientes. Es un elemento esencial del material genético de la célula, de las grasas de la sangre y de las membranas celulares. Resulta además importante en la transmisión normal de los impulsos nerviosos.

¿Cuáles son los signos de deficiencia?

Mineralización reducida de los huesos, pérdida de apetito, debilidad, temblores musculares y dolores óseos son los síntomas más corrientes.

¿Qué personas corren un mayor riesgo de deficiencia?

En Estados Unidos se considera rara la deficiencia de fósforo, porque se encuentra en muchos y diferentes alimentos. Es posible, sin embargo, llegar a padecer una deficiencia de este mineral si se toman grandes cantidades de antiácidos que contengan aluminio, pues esta sustancia bloquea la absorción intestinal del fósforo. Los vómitos persistentes, las perturbaciones del metabolismo de la vitamina D, las anomalías renales o hepáticas o el alcoholismo son asimismo susceptibles de provocar deficiencia de fósforo. Nada menos que el 20 % de las personas hospitalizadas mantienen un bajo nivel de fósforo en sangre.

¿Cuál es la ración dietética recomendada para el fósforo?

La misma que para el calcio, 800 miligramos diarios.

SODIO

¿Qué es el sodio?

Un metal blando, blanco plateado. Se encuentra habitualmente en cierto número de compuestos, entre los que el más conocido es el cloruro sódico o sal de mesa. La sal fue probablemente el primer aditivo y conservante alimenticio que se empleó. Antiguamente se la valoraba hasta tal extremo que a menudo se utilizaba como moneda. De hecho, la palabra «salario» proviene del empleo de la sal como forma de estipendio de los soldados romanos.

Creía que el sodio *era* sal. ¿No es así?

No. El sodio es un elemento, mientras que la sal común constituye un compuesto que contiene sodio y cloro. La sal es en un 40 % sodio.

¿En qué alimentos se encuentra el sodio?

Casi todos los alimentos contienen algo de sodio. Los que han sido tratados como los congelados, las carnes fiambres y aperitivos (por ejemplo, las patatas fritas) contienen grandes cantidades de esta sustancia, al igual que el queso y los moluscos.

¿Qué papel desempeña el sodio en el cuerpo?

El sodio es un electrólito. Reviste importancia para el mantenimiento del equilibrio de fluidos en el organismo y para desplazarlos dentro y fuera de las células. También resulta decisivo para la transmisión de impulsos nerviosos, en la actividad cardíaca y el metabolismo de proteínas e hidratos de carbono.

¿Todavía recomiendan los médicos la reducción de la ingestión de sal para que baje la tensión?

Sí. Una dieta alta en sal se halla asociada con un aumento del riesgo de hipertensión. Pero actualmente los investigadores saben que la ingestión de potasio, calcio y magnesio influye también en la tensión. Es necesario un equilibrio adecuado entre estos cuatro minerales para mantener la normalidad de la tensión y el pulso.

¿Cuáles son los signos de deficiencia del sodio?

Los síntomas más comunes son la pérdida del apetito y de la sed, serios calambres musculares y debilidad, vómitos e irritabilidad. Una deficiencia seria determina la muerte.

¿Qué individuos corren un riesgo mayor de deficiencia?

La deficiencia de sodio es infrecuente en la mayoría de los países. Pero las personas que padecen una diarrea prolongada, una afección renal o que sudan copiosamente debido a una fuerte actividad en climas cálidos pueden presentar un déficit de esta sustancia.

¿Cuál es la ración dietética recomendada para el sodio?

Como la deficiencia es tan rara, no existe ración dietética recomendada para el sodio. Se considera segura y adecuada una dosis diaria de unos 500 miligramos. La mayoría de las personas recibe diariamente de 3 a 4 gramos de sodio.

GLOSARIO

Ácido ascórbico: Véase vitamina C.

Ácido fólico: Una vitamina B. Una mujer cuya dieta sea baja en ácido fólico en el momento de la concepción presenta un riesgo mayor de tener un hijo con serios defectos.

Ácido graso: Un compuesto orgánico de carbono, hidrógeno y oxígeno que se combina con glicerina para formar grasa. Los ácidos grasos que son necesarios para la salud reciben el nombre de ácidos grasos esenciales.

Ácido nicotínico: Una forma de niacina, una de las vitaminas B.

Ácidos nucleicos: Sustancias extremadamente complejas que constituyen el material genético en las células y que dentro de éstas dirigen la síntesis de las proteínas.

Ácido pantoténico: Una vitamina B que desempeña varias funciones esenciales en el proceso metabólico.

Ácido paraminobenzoico (PABA): Una sustancia que se encuentra a veces en compuestos multivitamínicos, pero que no se considera esencial para la salud humana.

Agregación de trombocitos: Agrupamiento de glóbulos rojos que pueden formar coágulos en los vasos sanguíneos. Tanto la vitamina E como el selenio contribuyen a reducir la agregación de trombocitos.

Alopática: Relativa a la alopatía, procedimiento terapéutico corriente, consistente en emplear remedios que producen efectos contrarios a los que caracterizan la enfermedad.

Aminoácidos: Compuestos que forman los constituyentes principales de las proteínas. El cuerpo humano necesita veinte aminoácidos para fabricar proteínas, proceso denominado síntesis proteínica.

Anemia macrocítica: La causada por deficiencia del ácido fólico.

Anemia perniciosa: Forma potencialmente fatal de anemia causada por deficiencia de vitamina B_{12}, debida a la falta de secreción gástrica de factor intrínseco, una proteína que escolta a la B_{12} a través de los intestinos hasta llegar al torrente sanguíneo.

Antioxidante: Una molécula que contribuye a limitar las reacciones oxidantes potencialmente nocivas mediante la neutralización de los radicales libres. Éstos son fragmentos moleculares que tratan de arrebatar electrones a otras moléculas. Un antioxidante dona un electrón al radical libre, neutralizándolo de este modo. Entre los elementos nutritivos que operan como antioxidantes figuran las vitaminas C y E, el caroteno beta y el selenio.

Azúcar: Material cristalizable y dulce que reviste una gran importancia en la nutrición como fuente de hidratos de carbono dietéticos y para endulzar y conservar otros alimentos.

Azufre: Elemento químico insípido e inodoro que se emplea para fabricar ácido sulfúrico y se utiliza comercialmente en muchos procesos industriales.

Beriberi: Una enfermedad determinada por la deficiencia de tiamina. Entre otros, figuran los siguientes síntomas: confusión mental, pérdida de apetito, debilidad muscular, dificultades de desplazamiento, parálisis de los miembros y trastornos oculares.

Bioaccesibilidad: El grado en que un elemento nutritivo u otra sustancia se hace disponible para su empleo en el cuerpo tras ingestión o inyección.

Bioflavonoides: Sustancias halladas a menudo en frutas que contienen vitamina C. Ocasionalmente, se las considera esenciales para el ser humano, pero aún no ha sido determinado su rango vitamínico.

Biotina: Sustancia del complejo vitamínico B.

Bocio: Hinchazón de la glándula tiroides provocada por una deficiencia de yodo.

Calcio: El mineral más abundante en el cuerpo, necesario para el endurecimiento de los huesos y los dientes y para un funcionamiento adecuado de los músculos y los nervios. El calcio disuelto es parte esencial del fluido que rodea a las células.

Calcitriol: Una hormona y la forma biológicamente activa de la vitamina D.

Cápsulas suprarrenales: Pequeñas glándulas endocrinas, cada una sobre un riñón. Estas glándulas segregan diversas hormonas, entre las que cabe nombrar la epinefrina (a veces denominada adrenalina), la sustancia estimulante que acelera los latidos del corazón y provoca el sudor de las manos en una situación amedrentadora. Las cápsulas suprarrenales producen también más de treinta hormonas esteroides, que intervienen en muchas funciones, como, por ejemplo, la construcción muscular, el impulso sexual y la reducción de una inflamación.

Caroteno beta: El pigmento anaranjado que se encuentra en las zanahorias, las batatas y muchas otras frutas y hortalizas y puede convertirse en el cuerpo en vitamina A. El caroteno beta es un antioxidante, función independiente de su transformación en vitamina A.

Carotenoides: Grupo de pigmentos rojos, amarillos y anaranjados que se encuentran en alimentos como las zanahorias, las batatas y las verduras de hojas verde oscuro. El cuerpo convierte estas sustancias en vitamina A.

Catequina: Un tipo de bioflavonoide que se encuentra en las frutas que contienen vitamina C y que no se considera un nutriente esencial.

Celíaca: Enfermedad caracterizada por un problema de absorción intestinal, habitualmente diagnosticado cuando el paciente llega al estado de adulto y relacionada con una sensibilidad al gluten (proteínas del trigo). Los síntomas de esta enfermedad son heces abundantes y copiosas, espumosas, fétidas y blanquecinas, que contienen mucha grasa, así como ataques recurrentes de diarrea, retortijones, pérdida de peso y nutrición deficiente

Cinc: Microelemento mineral esencial que interviene en la estructura y funcionamiento de las membranas celulares y en la producción de más de doscientas enzimas, entre las que cabe señalar las que actúan en la elaboración del ácido nucleico, un material genético celular. El cinc es esencial, entre otras funciones, para una adecuada cicatrización de las heridas, la salud de la piel, un grado alto de inmunidad y la normalidad del gusto, el olor, la actividad sexual, el metabolismo óseo y la visión.

Cloro: Elemento nutritivo esencial que suele obtenerse de la sal común (cloruro sódico).

Cobalamina: Véase vitamina B_{12}.

Cobre: Microelemento mineral esencial, necesario para la producción de colágeno y que interviene en la elaboración de enzimas antiinflamatorias.

Coenzimas: Sustancias esenciales que participan en muchas de las reacciones químicas del organismo humano. Vitaminas y minerales son coenzimas en todas las reacciones químicas del cuerpo.

Colágeno: Tejido conjuntivo que se encuentra en todo el cuerpo y contribuye a mantener la estructura de los tejidos, en la piel, los músculos, las encías, los vasos sanguíneos y los huesos.

Coleína: Nutriente que se había considerado vitamina B, pero cuyo rango no ha sido determinado. Interviene en la producción de ciertos neurotransmisores.

Complejo B: Los miembros de la familia de la vitamina B: biotina, B_6, B_{12}, ácido fólico, niacina, ácido pantoténico, riboflavina y tiamina.

Cromo: Microelemento esencial que necesita el cuerpo para poder quemar azúcar con el fin de obtener energía.

Cuasivitaminas: Sustancias que se incluyen a veces en las fórmulas multivitamínicas o que pueden ser elementos nutritivos necesarios para animales, pero cuyo rango vitamínico para los seres humanos no ha sido determinado.

Defectos del tubo neural: Serias afecciones que se revelan en el nacimiento y se asocian con una deficiencia de ácido fólico en el momento de la concepción. Entre tales defectos, figuran la imposibilidad de desarrollo del cerebro fetal o que no se cierre la médula espinal.

Diario de alimentación: Anotación de los alimentos que una persona toma durante un determinado período de tiempo y se usa para elaborar un análisis de la nutrición.

Dietista: Un profesional de la salud que realiza análisis dietéticos y orienta sobre el mejoramiento de los hábitos alimenticios.

Displasia cervical: Posibles cambios precancerosos en las células que revisten la superficie del cuello del útero. Se puede diagnosticar con un reconocimiento por frotis.

Electrólito: Sustancia que se disocia en iones (partículas de carga positiva o negativa), fundida o en disolución, y es capaz de transmitir electricidad. En el cuerpo los principales electrólitos son el sodio, el calcio, el potasio, el magnesio y los cloruros.

Elemento: Sustancia simple que no puede ser descompuesta por medios químicos y que está constituida por átomos semejantes por sus propiedades químicas. Véase también microelemento.

Elemento nutritivo: Sustancia bioquímica empleada por el cuerpo en cantidades adecuadas a partir de los alimentos consumidos. Hay seis clases de elementos nutritivos: agua, proteínas, hidratos de carbono, grasas, minerales y vitaminas.

Enfermedad carencial: Cualquier clase de condición o enfermedad asociada con una ingestión baja de una vitamina o un mineral. El escorbuto, por ejemplo, es una enfermedad determinada por la deficiencia de vitamina C.

Enfermedad de Crohn: Es la inflamación de la parte inferior del intestino delgado. Entre los síntomas de esta enfermedad, similares a los de la inflamación intestinal común, figuran accesos de diarrea, retortijones y fiebre. Provoca problemas de absorción que pueden determinar una nutrición deficiente.

Enriquecido: Término empleado para calificar un alimento en que las vitaminas y los minerales perdidos durante su elaboración han sido reemplazados. El arroz refinado enriquecido, por ejemplo, contiene parte de las vitaminas B que perdió en el proceso.

Equivalentes de retinol: Unidad de medida que hace posible comparar y transmudar las diferentes formas de la vitamina A —vitamina A preformada, caroteno beta y otros carotenoides—, dado que todas las diferentes formas presentan una actividad distinta en el cuerpo. Un equivalente de retinol es igual a 1 microgramo de retinol o a 6 microgramos de caroteno beta.

Equivalentes de tocoferol: Unidades de medida que proporcionan una base para poder comparar y convertir las diferentes formas de la vitamina E, todas las cuales poseen en el cuerpo distintos niveles de actividad biológica. Un equivalente de tocoferol es igual a 1 miligramo de tocoferol dextrógiro alfa.

Escorbuto: Una enfermedad determinada por la deficiencia de la vitamina C y cuyos síntomas son encías sangrantes, hematomas, aspereza de la piel, dolores en las articulaciones, fatiga, degeneración de los tejidos e incidencia acrecida de infecciones.

Factor de tolerancia de glucosa: Una forma orgánica del cromo que se encuentra en la levadura de cerveza y promueve la reacción del cuerpo a la insulina, contribuyendo al desplazamiento de glucosa (azúcar) hacia las células, donde puede quemarse para obtener energía. En el factor de tolerancia de glucosa figura también la niacina.

Factor intrínseco: Una proteína que escolta a la vitamina B_{12} a través de los intestinos hasta llegar al torrente sanguíneo.

Filoquinona: La forma natural de la vitamina K.

Fortalecido: Término usado para calificar un alimento con vitaminas y minerales adicionales. Se considera alimento fortalecido el zumo de naranja con calcio.

Fósforo: Un mineral esencial que participa en casi todas las reacciones metabólicas del cuerpo.

Glucosa: También conocida como dextrosa. Es la clase de azúcar hallada en la sangre y asimismo en algunos alimentos.

Hemocromatosis: Perturbación genética que determina la existencia de depósitos excesivos de hierro en el hígado, el corazón, el páncreas, la piel y otros órganos; todos ellos se ven sometidos al grave daño de los radicales libres tóxicos que produce el hierro.

Hemoglobina: Una proteína ferruginosa y portadora de oxígeno que se encuentra en los glóbulos rojos. Algunas formas de anemia se caracterizan por la deficiencia de hemoglobina.

Hesperidina: Un tipo de bioflavonoide hallado en frutas que contienen vitamina C. No se consideran un elemento nutritivo esencial.

Hidrato de carbono: Compuesto de carbono, hidrógeno y oxígeno. Una de las tres clases de elementos nutritivos que proporcionan energía al cuerpo (las otras dos son las grasas y los azúcares). Ejemplos de hidratos de carbono: los cereales y la pasta.

Hierro: Microelemento mineral esencial que transporta oxígeno por todo el cuerpo.

Hipertiroidismo: Actividad excesiva de la glándula tiroides, caracterizada por dolores de cabeza, irritabilidad, temblores, pulso rápido e insomnio

Homeopatía: Una rama de la medicina que considera que «lo semejante cura» y que fármacos que causan síntomas patológicos en personas sanas proporcionan la curación a las enfermas.

Ictericia: Amarilleo de los ojos y de la piel provocado por la aparición de pigmentos biliares de ese color segregados por el hígado. Un signo de trastornos hepáticos o de la vesícula biliar.

Ingestión diaria de referencia: Un nuevo término concebido para reemplazar el de ración dietética recomendada de Estados Unidos. Las ingestiones diarias de referencia constituyen promedios de las raciones dietéticas recomendadas para los diferentes grupos de edad.

Ingestión dietética diaria estimada segura y adecuada: Una gama de ingestiones que cabe asignar a un elemento nutritivo carente de la ración dietética recomendada. Biotina, ácido pantoténico, cobre, fluoruro, cromo y molidbeno se tasan según la ingestión dietética diaria estimada segura y adecuada y no con la ración dietética recomendada.

Inositol: Alcohol de azúcar que se encuentra a veces en preparaciones multivitamínicas: no se considera esencial para la salud humana.

Insulina: Una hormona segregada en respuesta al azúcar (glucosa) en la sangre que ayuda a transportar la glucosa hasta las células y la almacena en el hígado y en los músculos.

Internista: Médico especializado en medicina interna, diagnóstico y tratamiento de enfermedades del tracto gastrointestinal, corazón, riñones, hígado y sistema endocrino.

Isotretinoina: Vitamina A sintética empleada para tratar casos serios de acné. (Nombre comercial: Accutane.)

Levadura de cerveza: De sabor amargo y empleada en la elaboración de la cerveza, es una fuente rica en elementos nutritivos —tiamina, riboflavina, niacina, vitamina B_6, ácido pantoténico, biotina, ácido fólico, cromo, selenio y otros microelementos minerales esenciales.

Lipoproteínas de densidad alta: Una parte del colesterol que, según se cree, lo aleja de los tejidos y lo envía hacia el hígado, donde puede ser eliminado.

Lipoproteínas de densidad baja: La parte principal del colesterol considerado nocivo en la sangre.

Magnesio: Mineral esencial empleado en más de trescientas reacciones bioquímicas del cuerpo.

Manganeso: Microelemento mineral esencial para el funcionamiento normal del cerebro y para la estructura ósea.

Metabolismo: La suma de procesos físicos y químicos del cuerpo por los que se constituye y mantiene la sustancia organizada viva y se desintegran grandes moléculas en otras más pequeñas con el fin de lograr energía accesible al organismo. En nutrición, se entiende habitualmente por metabolismo un complejo proceso químico en que interviene el oxígeno y que supone la obtención de energía de los alimentos. El proceso metabólico permite que el cuerpo convierta en energía utilizable las calorías que toma como hidratos de carbono.

Microelemento: Véase microelemento mineral.

Microelemento mineral: Mineral esencial para la salud

humana que necesita cantidades inferiores a 100 miligramos al día.

Microflora: Véase microorganismos.

Microorganismos: Seres microscópicos, como las bacterias, que viven en el tracto digestivo. También llamados microflora.

Mineral: Un compuesto no orgánico que no contiene carbono ni procede de organismos vivos.

Molibdeno: Microelemento mineral esencial que puede actuar como antioxidante.

Naturopatía: Arte de curar que se basa en las fuerzas curativas naturales del cuerpo. Se trata de una terapia sin productos farmacéuticos que recurre a los masajes, la luz, el calor, el aire y el agua.

Neuropatía sensorial: Pérdida del sentido del tacto y variaciones de temperatura en las manos y los pies a causa del deterioro de los nervios que transmiten estas sensaciones.

Neurotransmisores: Sustancias químicas producidas en el cerebro y en los nervios del cuerpo que nos permiten pensar, sentir y realizar diversas funciones.

Niacina: Una vitamina B esencial para el metabolismo de los hidratos de carbono.

Niacinamida: Una forma de niacina, también conocida como nicotinamida.

Nicotinamida: Una forma de niacina, una de las vitaminas B.

Nutricionista: Profesional que proporciona información sobre alimentos y nutrición. No existe acreditación reconocida para esta profesión.

Osteomalacia: Equivalente del raquitismo en los adultos, caracterizada por el reblandecimiento de los huesos. Entre los síntomas figuran el dolor y la sensibilización de los huesos y debilidad de los músculos.

Osteópata: Un profesional que ejerce la osteopatía, medicina similar a la tradicional, pero que incluye la manipulación de la columna vertebral, diagnóstico y tratamiento.

Osteoporosis: Literalmente, huesos porosos. Una enfermedad que sufren principalmente las mujeres posmenopáusicas.

Oxidación: Proceso químico por el que una molécula se combina con oxígeno y pierde electrones. Los elementos nutritivos antioxidantes como las vitaminas C y E ayudan a controlar la oxidación.

PABA: Véase ácido paraminobenzoico.

Pelagra: La clásica enfermedad determinada por falta de niacina y caracterizada por una exfoliación de la piel, sobre todo en la cara, las manos y los pies, que se enrojecen tras haber estado expuestos a la luz del sol. El término procede de la expresión italiana «piel áspera».

Periférico-a: Fuera de la región central.

Peroxidasa de glutatión: Enzima antioxidante, formada en el organismo, que exige la presencia de un microelemento mineral, el selenio.

Potasio: Mineral esencial que puede ayudar a proteger contra la hipertensión y la apoplejía.

Precursor: Sustancia a partir de la cual cabe elaborar en el cuerpo una vitamina. El caroteno beta es precursor de la vitamina A.

Provitamina: Precursora de una vitamina. Una sustancia a partir de la cual puede elaborarse en el cuerpo una vitamina.

Quercetina: Un tipo de bioflavonoide hallado en las frutas que contienen vitamina C y al que no se considera elemento nutritivo esencial.

Ración dietética recomendada: Los niveles de ingestión de elementos nutritivos esenciales que, sobre la base de los conocimientos científicos, el Consejo de Alimentación y Nutrición de la Academia Nacional de Ciencias juzga adecuados para atender las necesidades nutritivas de la mayoría de las personas sanas.

Ración dietética recomendada de Estados Unidos: Término desarrollado por la Administración de Alimentos y Fármacos de Estados Unidos para aplicar las raciones dietéticas recomendadas máximas —las de adolescentes varones— a la población en general, sin distinción de edad o sexo.

Raquitismo: Enfermedad determinada por la deficiencia de vitamina D y caracterizada por un ablandamiento de los huesos, que se doblan bajo el peso del cuerpo.

Retinol: Vitamina A preformada.

Riboflavina: También llamada vitamina B_2, un nutriente esencial para el metabolismo energético y el desarrollo adecuado de las células nerviosas y de la sangre, el metabolismo del hierro y la actividad de las cápsulas suprarrenales, para la formación de tejidos conjuntivos y el buen funcionamiento inmunológico.

Rutina: Un tipo de bioflavonoide hallado en las frutas que contienen vitamina C y al que no se considera elemento nutritivo esencial.

Selenio: Microelemento que actúa como antioxidante y que, según se cree, protege contra el cáncer y las afecciones cardíacas y favorece la inmunidad.

Síntesis: Creación de un compuesto por la unión de elementos que lo integran, bien artificialmente o como resultado de un proceso natural.

Sintético-a: Producido por síntesis.

Sintetizar: Elaborar mediante síntesis.

Sodio: Elemento nutritivo esencial que participa en la transmisión de las cargas eléctricas por todo el cuerpo y es esencial para el equilibrio de los fluidos.

Tiamina: También llamada vitamina B_1, es un elemento esencial para el metabolismo energético y casi para cualquier reacción celular que ocurra en el cuerpo: el desarrollo, el crecimiento y la reproducción normales, una excelente forma física y una buena salud.

Triglicéridos: Ácidos grasos que se encuentran en la sangre y que en niveles elevados contribuyen a la aparición de enfermedades cardíacas.

Ultramicroelementos minerales: Minerales esenciales sólo en dosis de microgramos.

Valor diario: Un nuevo término acuñado por la Administración de Alimentos y Fármacos para reemplazar el de ración dietética recomendada. Los valores diarios aparecerán pronto en las etiquetas de los alimentos.

Vitamina: Componente orgánico (poseedor de carbono) de un alimento que resulta esencial en pequeñas cantidades para el metabolismo, el crecimiento y el bienestar físico de los seres humanos normales.

Vitamina A: Componente orgánico (es decir que contiene carbono) de los alimentos, esencial en pequeñas cantidades para el metabolismo normal, el desarrollo y el bienestar físico de los seres humanos.

Vitamina B_1: Véase tiamina.

Vitamina B_2: Véase riboflavina.

Vitamina B_6: Una vitamina B, también llamada piridoxina, necesaria para el funcionamiento adecuado en el organismo de más de 60 enzimas, entre ellas, las requeridas para el metabolismo de proteínas, grasas e hidratos de carbono.

Vitamina B_{12}: También conocida como cobalamina. Una de las vitaminas B, con una molécula de cobalto en su centro, esencial para el funcionamiento normal de todas las células del cuerpo, especialmente las del tuétano, el sistema nervioso y el tracto gastrointestinal.

Vitamina C: También conocida como ácido ascórbico, es soluble en el agua y posee importantes propiedades antioxidantes. Ayuda a proteger contra las enfermedades cardíacas y el cáncer, favorece la función inmunológica, acelera la cicatrización de heridas y proporciona otros diversos beneficios.

Vitamina D: Soluble en grasa y esencial para que el cuerpo absorba calcio.

Vitamina E: Vitamina soluble en grasas cuyo principal papel en el cuerpo es actuar como antioxidante. Ayuda a proteger contra las afecciones cardíacas y el cáncer.

Vitamina K: Vitamina soluble en grasa esencial para la coagulación de la sangre.

Yodo: Elemento nutritivo esencial, necesario para que el cuerpo produzca hormonas tiroideas.

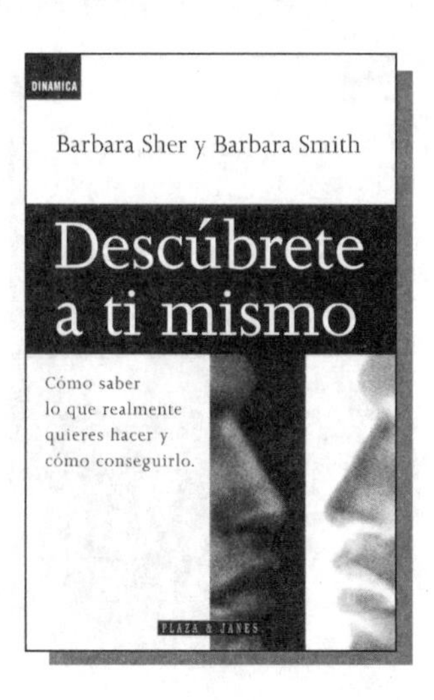

Cómo saber lo que realmente quieres hacer y cómo conseguirlo.

Llegado un punto de nuestras vidas, muchos de nosotros descubrimos que, por inercia, hemos caído en situaciones y rutinas sumamente insatisfactorias. De pronto comprendemos que no vivimos conforme a nuestros deseos y, aún peor, que ni siquiera sabemos cuáles son esos deseos. Ésta es la clave del problema: el desconocimiento de nuestros deseos más profundos y verdaderos. Un muro invisible cimentado en la pasividad nos separa de nuestros sueños, pero abrir una brecha en ese muro no es tan difícil como pudiera pensarse. Basta con un poco de convicción y empuje. Este libro original y apasionante te ayudará, mediante consejos prácticos y sencillos, a descubrir tus mayores aspiraciones y a realizarlas.

Barbara Sheer es terapeuta y asesora en el campo de la orientación profesional. Ha organizado numerosos seminarios en Estados Unidos sobre trabajo en equipo, creatividad y comunicación. *Descúbrete a ti mismo* y sus anteriores obras la revelan como una auténtica experta de la motivación.

Barbara Smith colabora regularmente con *New York Woman, Elle, The Washington Post* y otras publicaciones. Imparte clases de técnica narrativa en Yale y otros centros.

Una guía práctica para superar los trastornos psicológicos que afectan los hábitos alimentarios.

Lamentablemente, los trastornos de la nutrición, en particular la anorexia y la bulimia, han alcanzado una inusitada notoriedad en las últimas décadas. La engañosa ecuación entre éxito y delgadez que ha establecido la sociedad actual ejerce una presión, a veces insoportable, sobre el público, especialmente el femenino, como demuestra el dato de que un 80 por ciento de las mujeres deseen perder peso. La gravedad de estos trastornos, así como la de sus secuelas (osteoporosis, alteraciones metabólicas, dolencias cardíacas, depresión, entre otras), exige una toma de conciencia inmediata y soluciones drásticas. Este libro le ayudará a detectar los primeros síntomas de la enfermedad, a evaluar la influencia del medio familiar y social, y a modificar ciertas pautas de conducta destructivas en relación con la comida.

Una guía para adquirir el pleno conocimiento sobre sí mismo

El autor propone la meditación como método para relajarse y combatir el estrés. Para ello analiza el arte de vivir el presente, cada instante, con plena conciencia. Sin embargo, el aspecto más original de su enfoque es presentar la meditación no como práctica espiritual sino como disciplina práctica y cotidiana. Ésta es una guía de relajación útil tanto para el meditador experto como para el recién inciado.

JUN 2009
RECEIVED
Salinas Public
Library